IL SEGRETO
DELLA FELICITÀ

IL SEGRETO DELLA FELICITÀ

A cura di JOHN CALLANAN

PIEMME

Titolo originale dell'opera: *Watering the desert*

Traduzione di *Elsy Franco*

Nota dell'Editore

Il 22 agosto 1998 la Congregazione per la dottrina della fede ha emanato una Notificazione pubblicata in calce a questo volume, riguardante la compatibilità con la fede cattolica degli scritti di Anthony De Mello.

I Edizione 2006

15033 Casale Monferrato (AL) - Via Galeotto del Carretto, 10
Tel. 0142/3361 - Fax 0142/74223
www.edizpiemme.it

A Pat,
che ci mancherà sempre

Prefazione

L'introduzione a un libro di questo genere fa di solito capire quali siano gli argomenti trattati. Mi sembra però giusto informarvi anche intorno a ciò che queste pagine non contengono. Se cercate una vera e propria biografia di Anthony De Mello, qui non la troverete. Se cercate un'esauriente esposizione della sua filosofia di vita, resterete delusi.

Allora, qual è lo scopo di questo libro? Per prima cosa ho voluto rispondere alle domande che più spesso mi vengono rivolte sul tipo di preghiera che Anthony De Mello favoriva e incoraggiava. Ho cercato inoltre sia di mettere in luce i vari problemi incontrati da chi si accinge a pregare, sia di dare un'idea dei benefici che è possibile ottenere dedicando tempo ed energia al tipo di preghiera caldeggiata da Anthony De Mello. Spero inoltre di poter dar nuova vita all'esplorazione dei diversi tipi di preghiera ed essere di aiuto nel viaggio personale di ciascuno verso Dio.

Alla fine di ogni capitolo presento alcuni esercizi di preghiera e meditazioni che potranno esservi utili.

Se ne provate uno al giorno, non soltanto vi abituerete abbastanza in fretta alla meditazione, ma vi renderete anche conto se una tale pratica vi è utile o meno.

Voglio infine ringraziare Eddie O'Donnell, SJ, e Colm Wynne per aver rivisto il manoscritto, come pure mio fratello Bill per le illustrazioni.

John Callanan
Dublino, marzo 2004

Introduzione

Molto è accaduto nella Chiesa cattolica dalla pubblicazione del mio primo libro. E non tutto è stato positivo. Molti di coloro che sono attivi negli affari della Chiesa e che sono sostenitori della vita religiosa in generale si sono sentiti mortificati dai recenti avvenimenti che hanno avuto luogo nei circoli ecclesiastici. Io credo che – almeno in Irlanda – tali sentimenti di vergogna siano stati avvertiti a causa della costante pubblicità negativa, degli scandali e degli abusi che sono stati regolarmente enfatizzati dai media. Mentre accade ciò, il dono che Anthony De Mello è stato ed è tuttora per la Chiesa ha subìto degli interessanti sviluppi. D'altra parte, coloro che hanno apprezzato le sue parole continuano a far proprie le sue idee, arrivando quasi a santificare il suo ricordo. Quasi contemporaneamente, alcuni elementi nella gerarchia ecclesiastica si sono mossi nella direzione opposta. Essi appaiono sempre più preoccupati a causa del senso di libertà che il pensiero e l'insegnamento di De Mello sembra ispirare nei suoi seguaci. Suggeriscono che, se leggi ciò che ha scritto e segui il suo stile di preghiera, la tua salute spirituale potrebbe essere in pericolo.

Dobbiamo perciò porre alcune domande, e darne le risposte, circa l'uomo e il suo lavoro. Chi era Anthony De Mello? Da dove veniva? In che modo ha sviluppato uno stile di preghiera che ha aiutato così tanta gente? È sicuro? Perché nel Vaticano ci sono stati alcuni che hanno scelto di parlare contro di lui? E infine, che probabilità abbiamo di trarre benefici dal suo insegnamento?

Anthony De Mello era nato il 4 settembre 1931 a Bombay, in India. Non credo di esagerare dicendo che ha esercitato una profonda influenza su tutti coloro che sono venuti a contatto con lui. È difficile reperire dettagli sulla prima parte della sua vita, ma egli stesso ebbe a dire che parte del suo entusiasmo iniziale per la fede nacque probabilmente durante le esperienze della sua prima fanciullezza in India.

Un amico che lo ha conosciuto in gioventù mi ha detto che fu sempre acuto e brillante. Per illustrare tale asserzione, l'amico racconta un incidente che accadde quando De Mello era giovane e le cui conseguenze hanno influenzato la vita di tutti coloro che vi furono coinvolti. Un giorno De Mello tornò a casa da scuola annunciando che voleva diventare un prete cattolico. Ciò contrastava fortemente con la tradizione indiana che voleva che il figlio maggiore portasse avanti il nome della famiglia. Suo padre gli parlò spiegandogli che, poiché egli era l'unico maschio, aveva certe responsabilità a cui non poteva sottrarsi. In pratica, la sua presenza era necessaria per portare avanti le tradizioni e il nome della famiglia. Ciò significava che il più grande desiderio e sogno di Anthony doveva essere messo da parte. Fu a questo punto che il destino gli diede una mano.

Si racconta che la madre di Anthony non riuscisse a concepire negli anni che seguirono la decisione del padre. Poi si cominciò a mormorare che fosse di nuovo in attesa. Quando fu portata d'urgenza all'ospedale per il parto, si dice che Anthony abbia coperto di corsa più di sei chilometri fino all'ospedale per sapere se il neonato era maschio o femmina. Alla notizia che aveva un fratellino, pare che abbia detto al padre: «Magnifico, ora posso farmi prete».

Indipendentemente dal fatto che questa storia sia vera o meno, si può senz'altro asserire che nella prima gioventù De Mello, benché cristiano, fosse esposto anche alle tradizioni indù e buddiste. Entrò nella Compagnia di Gesù appena finita la scuola e iniziò la sua formazione di base come gesuita a Bombay. Dopo i due anni iniziali di noviziato, fu inviato all'estero per compiervi studi di varia natura. Studiò filosofia a Barcellona, psicologia all'Università Loyola di Chicago e teologia all'Università Gregoriana di Roma. Mentre si trovava in Europa, egli fu profondamente influenzato dalle opere di alcuni santi spagnoli e dagli scritti di mistici cristiani, in modo particolare Teresa d'Avila e Giovanni della Croce. Alcuni osservatori hanno notato che la fusione di quei tre elementi – lo studio della psicologia negli Stati Uniti, l'ambiente indiano di origine e le riflessioni sul bene e sul male contenute nella spiritualità sia orientale sia occidentale – hanno fornito a De Mello idee che hanno poi dato vita a un'inebriante mistura.

Il suo impatto sulla spiritualità occidentale si è verificato lentamente. Nel 1974 fu inviato come delegato della Provincia dei gesuiti di Bombay alla Congregazione Generale della Compagnia di Gesù a Roma. Ogni giorno, prima dell'inizio delle sedute della Congregazione, molti delegati pregavano insieme e fu chiesto ad Anthony De Mello di guidare le sessioni di preghiera. Per mezz'ora al giorno egli guidò tali incontri sia in inglese sia in spagnolo.

È evidente che questi incontri impressionarono notevolmente coloro che vi parteciparono. I suoi gruppi di preghiera iniziavano sempre con un periodo di silenzio, seguito da una breve salmodia. De Mello diceva che salmodiare, ripetere cioè alcune parole (come il nome di Gesù), unitamente a un respiro controllato e a una posizione rilassata del corpo, era di grande aiuto per trovare la comunione con Dio. Egli sottolineava che Dio è già presente nella nostra vita. Il compito principale dei partecipanti era quello di diventarne completamente consapevoli.

Possiamo dire che, durante la sua vita, Anthony De Mello fu per molti una specie di "guru", un'ispirazione, una torcia di speranza e una fonte di saggezza. Gran parte di coloro che ebbero contatti con lui, sia attraverso i suoi seminari sulla preghiera sia attraverso i suoi video, asseriscono che conduceva tali incontri di preghiera come nessun altro. Egli era in grado di alitare gentilmente sulle ceneri morenti della fede e, nel far ciò, nuove scintille venivano generate nell'essenza della preghiera. Tali fiamme nuovamente rivitalizzate erano una spinta per coloro la cui vita spirituale era diventata debole o tiepida. Per costoro, un breve momento in sua presenza significava venir contagiati dal suo meraviglioso entusiasmo.

Oggi più che mai si è alla ricerca del gusto di vivere e molti sperano di incontrare guru in grado di donare vita, vivacità e dinamismo. De Mello possedeva questo dono ed era un mentore capace di creare scintille ed effervescenza in quanti incontrava. La sua importanza e il suo contributo possono essere oggi interpretati come una sfida costruttiva. A nessuno piace essere sfidato, e alla Chiesa istituzionale meno di tutti ma, se siamo onesti, dobbiamo – e anch'essa dovrebbe farlo – ammettere che talvolta è necessaria una sfida che ci costringa a cercare – e a trovare – il Cristo vivente dentro di noi.

Questa idea mi balenò nella mente per la prima volta durante la prima visita di De Mello in Irlanda nel 1977. Credo che la maggior parte dei gesuiti irlandesi non avessero mai, prima di allora, sentito parlare di questo strano indiano. Il suo nome cominciò a essere notato dai gesuiti dopo quegli energizzanti incontri coi colleghi in occasione della 32ª Congregazione Generale della Compagnia di Gesù a Roma. È probabile che proprio a causa di tali incontri egli fosse invitato a presentare in Irlanda un seminario sulla preghiera per ogni gesuita irlandese che volesse parteciparvi. Lo fecero in circa sessanta e io ero fra loro. Fin dal suo arrivo si cominciò a sentire una specie di elettricità nell'aria. Il modo in cui parlò della preghiera era avvincente. Le sue parole e le sue idee avevano un qualcosa di fresco. L'atmosfera che riuscì a creare in quella prima serata non era stata assolutamente prevista. In un certo senso fu scioccante, almeno per me.

Avevo allora appena completato i miei primi due anni nella Compagnia di Gesù, ma ricordo ancora la tremenda eccitazione che le sue parole provocarono in me. Sentii delle vibrazioni, unitamente a un senso di sfida, pervadermi fin nel profondo. Ma non ero l'unico. Molti altri, più esperti di me, si sentirono scuotere e vibrare nei loro posti. Molti trascorsero quella sera – e gran parte del seguente fine settimana – come ipnotizzati. Dai nostri animi emersero delle domande che erano sia rivitalizzanti sia terrorizzanti. Mentre alcuni non furono d'accordo con quanto egli ebbe a dire durante le riunioni del suo seminario, credo che furono in pochissimi a non rimanerne toccati. Ripensandoci adesso vedo chiaramente come Anthony De Mello abbia toccato e cambiato radicalmente la vita di molti di coloro che presero parte a quel primo seminario. Ma in che modo lo fece?

Si può dare una risposta con due brevi osservazioni. In primo luogo, coloro che presero parte ai seminari non furono toccati solo da ciò che egli insegnava, ma anche dalla vitalità con cui insegnava. In secondo luogo, molto di ciò che ebbe a dire era non solo profondo ma anche stimolante. Il suo messaggio sembrava avere un valore permanente. Ciò era stato più volte testimoniato da coloro che erano stati così fortunati da essere personalmente presenti ai suoi corsi di spiritualità in India o ai suoi seminari e ritiri di preghiera e spiritualità in tutto il mondo. De Mello diede inizio a questi corsi con una visione. Egli cercava il fuoco – il fuoco della fede – e i suoi seminari erano notevoli perché riportavano il fuoco nello spirito di coloro che si dimostravano aperti e responsabili. La sua energia e vitalità durante i seminari e ritiri erano impressionanti. Il suo entusiasmo non si affievoliva mai. Sembrava che traesse gusto e vigore da ciò che insegnava. Lasciava i suoi ascoltatori pieni di dignità e di speranza, liberi di intraprendere il proprio cammino di fede nel modo che credevano migliore e liberi di decidere per se stessi. Chiaramente egli riteneva che molti vivevano la vita a basso regime. Mancava loro audacia e coraggio. In un certo senso erano addormentati e in molti cominciò a balenare l'idea che, se fossero riusciti a compiere il primo passo sulla via dello sviluppo della fede, molti altri passi sarebbero seguiti. Sarebbero stati in grado di far sparire, con notevole sforzo, i molti fantasmi che li avevano in passato tirati indietro.

Così il messaggio trasmesso in quegli incontri era serio e tagliente ma, nonostante la gravità del contenuto, il buon umore non mancava mai. De Mello aveva una specie di mantra per coloro che avevano orecchie per ascoltare e coraggio per agire: «Non limitatevi a fare qualcosa, sedete e cercate di andare più in profondità». Incoraggiava questa esplorazione servendosi di una delle sue espressioni orientali preferite: «Quando la gente smette di viaggiare, è arrivata». Chiedeva ai partecipanti di interrompere ciò che stavano facendo e rilassarsi, acquietarsi e cercare coraggiosamente di essere nel presente. Diceva che questo avrebbe accresciuto la consapevolezza interiore. Ognuno doveva diventare consapevole di ciò che accadeva in lui, senza eliminare le sollecitazioni esterne, allo scopo di scoprire dove Dio stesse agendo nella propria vita.

Anthony De Mello era un insegnante e un oratore esplosivo, quando si trattava di esplorare l'intera area dello sviluppo e della crescita spirituale. Aveva il raro dono di trasmettere energia e vitalità ovunque andasse. Incoraggiava il silenzio perché credeva che l'immobilità interiore portasse chiarezza. Voleva che il suo pubblico scoprisse la rivelazione portata dal silenzio. Era desideroso di incoraggiare le tecniche per "andare al di là". Non diceva che fosse facile. In realtà, non spiegava neppure ciò che intendesse dire. All'inizio dei suoi seminari chiedeva ai partecipanti di fare un esperimento. Diceva loro di sistemarsi in una posizione comoda, di chiudere leggermente gli occhi e restare in silenzio per circa dieci minuti. Dovevano cercare di immergersi nell'immobilità e vedere quali rivelazioni tale silenzio portasse in superficie. Allo scadere dei dieci minuti invitava spesso i partecipanti a condividere con gli altri ciò che avevano sentito e sperimentato. Talvolta i membri trovavano utile prendere appunti prima di relazionare verbalmente le loro intuizioni. Questo esercizio veniva fatto velocemente e quasi tutti lo trovavano divertente. Renderlo divertente era parte dell'unicità di De Mello.

Le pratiche di preghiera che insegnava scaturivano dalla sua esperienza personale. Intendo dire con questo che, se aveva scoperto che alcuni metodi di preghiera non erano utili a se stesso, né li raccomandava né incoraggiava altri a seguirli. Li aveva addirittura eliminati dai suoi seminari.

Ricordo che una volta ci raccontò che, essendogli stato affidato il compito di seguire dei giovani chierici, poco dopo la sua ordinazione, ci si aspettava che insegnasse loro delle efficaci routines e pratiche spirituali. A questo scopo, fece ciò che ogni individuo ragionevole e coscienzioso avrebbe fatto, cioè insegnò loro quello che era stato insegnato a lui stesso. Tuttavia, quando i suoi inesperti allievi incominciarono a fargli domande circa i modi di preghiera più vantaggiosi, si rese ben presto conto che le sue lezioni ed esortazioni avevano delle notevoli carenze. Ciò che presentava erano contenuti da manuale, ma non solo questo. Le sue conferenze insegnavano saggezza e tecniche che gli erano state fornite dai suoi superiori, ma in nessun modo si basavano su ciò che egli sapeva essere vero in base alle sue pratiche personali di preghiera. A poco a poco si rese conto di non star mettendo in pratica ciò che predicava. E forse, meno onestamente, non predicava ciò che metteva in pratica. Cominciò così a formulare un importantissimo principio per se stesso. Avrebbe testato ogni pratica di preghiera di cui intendeva parlare prima di presentarla ai suoi studenti. Avrebbe preso l'orefice come suo modello.

L'orefice, come spiegava De Mello, sperimentava tutti i materiali che usava per mezzo del fuoco. Egli era ora determinato a fare lo stesso. Da ora in poi avrebbe visto se le pratiche di preghiera che consigliava funzionavano per i problemi della vita di ogni giorno.

Si sarebbe in tal modo comportato proprio come l'orefice, scalfendo, lucidando e provando ogni parte di materiale e ogni perla di saggezza contenuta nella preghiera, per vedere se si dimostravano vere o false, salutari o imperfette. Con questo metodo scoprì che alcuni consigli spirituali che aveva precedentemente fornito erano meno efficaci di quanto aveva supposto. Facendo ancora riferimento all'orefice, si era reso conto che alcuni materiali che usava erano metalli di base. Da allora in poi avrebbe parlato della preghiera usando solo idee che egli stesso avesse provato e sperimentato. Se si dimostravano utili e apportatrici di buoni frutti per il futuro, le includeva nel suo programma. Altrimenti le eliminava.

Questo metodo si dimostrò vantaggioso tanto per lui quanto per i suoi studenti. Col tempo, la sua fama di "guru della preghiera" crebbe. Fu mandato a dirigere ritiri al Centro Gesuita di Preghiera «Sadhana» vicino Bombay. Qui la semplicità e l'onestà di base del suo approccio divennero popolarissime. I suoi seminari di preghiera erano molto richiesti. Ogni estate De Mello trascorreva molte settimane conducendo seminari in Europa, Nordamerica, Australia, Filippine e Giappone. Moltissimi erano i partecipanti, che restavano folgorati dal suo spirito e dalla sua saggezza. Sia la filosofia sia la teologia erano presentate sotto forma di storie e favole e venivano magnificamente raccontate con delicatezza, ma era raro che gli ascoltatori di De Mello non ne captassero i punti essenziali. Non diceva spesso qualcosa di scioccante, ma era molto incisivo ed eccezionalmente lucido. Chi veniva con la testa fra le nuvole immediatamente tornava – o era riportato – con i piedi per terra. Insegnava che gran parte della gente vive nella propria testa, che può non essere il posto migliore per condurre i propri affari. Lassù si ha la tendenza a essere meno svegli o consapevoli, e diventa così più difficile scorgere le orme che Dio lascia tutt'intorno a noi.

Troppo raramente viviamo nel presente. Proprio per questi errori passati i rimpianti assumono un'importanza maggiore del dovuto. Passiamo inoltre una grandissima quantità di tempo rimpiangendo inutilmente ciò che non può essere cambiato e piangendo su esperienze che non possono essere cancellate, privandoci così delle opportunità di crescita che potremmo incontrare. Oltre a questo, tendiamo a proiettare la mente in avanti, cercando di prevedere il futuro, sprecando tempo ed energia preziosi pensando ad avvenimenti che potrebbero – o non potrebbero – verificarsi. In tal modo indeboliamo la nostra capacità di crescita. Permettiamo a noi stessi di essere oppressi da sentimenti di paura circa i possibili disastri che ci aspettano o veniamo scoraggiati dal pensiero delle prove che dobbiamo ancora affrontare.

I partecipanti ai seminari di Anthony De Mello cominciarono a capire che egli considerava suo compito assistere la gente a cambiare se stessa, e non solo le proprie idee. Dovevano dapprima scoprire ciò che aveva bisogno di essere cambiato. Dopo di che era necessario un secondo passo. Si doveva prendere una decisione e si doveva trovare risposta a una domanda. Tale cambiamento comportava dolore, ma ne valeva la pena? Tali individui, erano preparati a lavorare strenuamente per il proprio rinnovamento? Si tratta di una domanda dolorosa. Sarebbe stata una cosa ancora più disturbante se la risposta fosse risultata negativa.

A mano a mano che la tecnica dei suoi seminari diventava più perfezionata e sofisticata, De Mello condusse negli Stati Uniti e in Canada quelli che furono definiti i ritiri "Satellite", e che vennero teletrasmessi in 76 università in tutto il continente nordamericano. Ciò significa che egli poteva inviare il suo messaggio a tremila studenti contemporaneamente. Era anche in grado di avere con loro dei colloqui faccia a faccia. Tenne il suo ritiro finale, quello che terminò il suo incessante entusiasmo per la vita, presso l'Università Fordham di New York nel giugno del 1987. Durante quel corso il suo cuore si fermò. Aveva bruciato la candela troppo rapidamente, ma il suo lavoro e il suo spirito non morirono con lui.

In retrospettiva, risulta chiaro che Anthony De Mello toccò e radicalmente alterò la vita di molti. Perfino oggi il suo nome non è sparito dalle testate. Numerosi libri e ritiri continuano a trarre ispirazione dal suo messaggio. Tali seminari restano enormemente popolari e aiutano molta gente a perfezionare il proprio modo di pregare.

Nel corso della sua vita Anthony De Mello non fu mai troppo lontano da controversie. Può darsi che esse lo stimolassero e continuano ancora, dopo la sua scomparsa, a circondare il suo nome. Nel 2000 la Congregazione per la Dottrina della Fede del Vaticano pubblicò un documento, che potremmo eufemisticamente paragonare a un "ammonimento governativo sulla salute pubblica", nei riguardi di De Mello e del suo lavoro. Ciò causò molto dispiacere e confusione in parecchie persone. Coloro che ammiravano l'uomo e i suoi insegnamenti – e che avevano tratto da essi ispirazione per la propria vita – si chiesero perché fosse stato emesso un documento del genere. Sono ancora in tanti che se lo chiedono e, per quanto mi risulta,

Roma non si è più pronunciata sull'argomento. Pare che fossero tre gli argomenti che preoccupavano la Congregazione. Secondo me, i documenti chiedono prima di tutto se De Mello avesse erroneamente paragonato la natura a Dio. Mi resta però difficile capire da dove si fosse potuto trarre una tale idea. Nei suoi video De Mello parla della natura e di Dio. Li paragona al danzatore e alla danza. Egli dice chiaramente che non sono la stessa cosa, ma che sono strettamente collegati. Sembrava a De Mello che molte persone scorgessero Dio nella bellezza che li circondava e credeva che potessero essere aiutati pensando la bellezza della natura come una specie di immagine riflessa in uno specchio. In questo modo essa diventava un'illustrazione della bellezza di Dio.

In secondo luogo la Congregazione, nella sua saggezza, sembra si trovasse in difficoltà a proposito delle vedute di De Mello intorno a Dio. Gesù era Dio o solo un altro profeta? Non riesco a capire da dove abbiano tratto anche questa idea. Se guardate i suoi video, o se lo avete ascoltato parlare di persona, è sicuramente difficile immaginare come si possa essere arrivati a una tale conclusione. Chi guarda o ascolta è di solito colpito dal grande rispetto che De Mello mostra verso la seconda Persona della Trinità.

La Congregazione sembrava infine pensare che De Mello non mostrasse o non avesse una sufficiente deferenza per l'istituzione della Chiesa. Può darsi che su questo argomento lo stesso De Mello si dichiarasse colpevole. L'amore per la Chiesa è un grande dono ma se viene seguito ciecamente non è di alcun beneficio né per la Chiesa né per i suoi seguaci. Se un'istituzione è incapace di condurre un esame costruttivo dal suo interno, o non è disposta a farlo, allora i suoi nemici lo faranno dall'esterno. Ed è molto probabile che riescano a mettere in ginocchio una tale istituzione. È mia opinione che un silenzio privo di critica in tali situazioni non è fedeltà ma inutile viltà. Un grande amore richiede una grande onestà.

Alla fine di ogni capitolo troverete alcuni esercizi di respirazione, meditazioni ed esercizi di fantasia. Provateli. Alcuni suggerimenti di base potranno esservi utili.

Prima di iniziare un esercizio, trovate un luogo confortevole in cui vi sentite al sicuro. Sarà di grande aiuto rimanere in un posto dove potete restare indisturbati per almeno mezz'ora. Leggete l'esercizio di preghiera o la meditazione come io la descrivo e poi iniziate. Cominciate col creare un'atmosfera di tranquillità e di quiete in modo da favorire la possibilità che Dio dia inizio alla Sua opera.

Anthony De Mello ha detto che in molti ritiri condotti in India, colui che guida l'esercizio di preghiera comincia con la concentrazione sulla consapevolezza del ritmo del proprio respiro. Alcuni maestri di preghiera ritengono che la respirazione agisca da ponte fra il noto e l'ignoto. Nello spazio tranquillo fornito da tali pratiche, noterete che la mente si muove avanti e indietro. Si sposta da eventi del passato a sogni per il futuro e ha difficoltà – potremmo dire perfino avversione – a restare nel momento presente. Osservare il respiro aiuta a esplorare non solo la realtà del corpo ma anche della mente. Materiale nascosto nell'inconscio viene portato a livello conscio e si manifesta in disagio fisico o mentale. Rivela qualcosa di cui non avete idea – o che non volete ammettere – circa voi stessi. Se trovate talvolta difficile sedere immobili durante questi esercizi, potete adesso capirne il perché. I seguenti punti possono essere di aiuto prima di iniziare:

• Non mangiate immediatamente prima della meditazione perché uno stomaco pieno non induce alla calma e alla pace.

• Scegliete una stanza relativamente tranquilla dove potete stare da soli.

• È da preferirsi una luce smorzata.

• Una buona posizione del corpo, unitamente a un sedile comodo o a uno sgabello da preghiera saranno di grande utilità.

• Cercate di evitare distrazioni e riducete al minimo ogni fonte di disturbo come campanelli o telefono. Meditate in un tempo in cui vi è possibile restare soli.

• Non terminate la meditazione all'improvviso poiché il corpo si troverà probabilmente in uno stato di rilassamento prima della conclusione dell'esercizio e uscirne troppo in fretta produrrebbe una sensazione spiacevole.

• Se, durante la meditazione, vi rendete conto che la mente si è allontanata dall'argomento a cui dovreste pensare, riconducetela gentilmente verso l'area a cui state lavorando.

• Se possibile, concludete recitando il Padre Nostro.

ESERCIZIO 1

Un esercizio di respirazione

Non appena trovato un luogo adatto per la preghiera, sistemati su una sedia dallo schienale dritto e appoggia le mani in grembo. Chiudi gli occhi e rilassati. Inspira ed espira profondamente e senti la parte superiore del tuo corpo riempirsi di aria. Inspira aria attraverso le narici e immagina di vederla entrare nella gola prima di scendere attraverso la trachea verso l'area delle spalle. Falla quindi muovere lentamente verso il basso attraverso le braccia fin dentro le dita. Immagina il tuo petto riempirsi di aria e vedi come quest'aria si faccia strada – girando intorno alla spina dorsale – giù fino in fondo allo stomaco. Se appoggi la mano sull'ombelico dovresti essere in grado di toccarne la parte più interna. Metti ora un dito sul polso e conta i battiti. Diventa consapevole del ritmo. Usa la frequenza del tuo polso come guida e inspira contando fino a quattro. Dopo una breve pausa, espira contando ancora fino a quattro. Durante questa pratica, noterai che il ritmo dell'inspirazione è rallentato e ciò produce spesso un accresciuto effetto calmante per la mente. Può darsi che questo non appaia subito evidente, poiché ci vuole del tempo per acquisire padronanza di ogni nuova attività, e la meditazione non fa eccezione; un po' di preparazione è necessaria prima di cominciare.

La maggior parte di noi ha la mente bombardata da rumore e confusione, per cui può essere necessario un certo rilassamento prima di cominciare. Dopo aver trovato il luogo adatto, devi metterti tranquillo e fermare la mente in modo da diventare consapevole di come ti senti nel momento presente. Il tuo corpo è ragionevolmente calmo? Assumi una posizione eretta su una sedia dallo schienale dritto e assicurati di non essere semisdraiato o piegato. Chiudi quindi gli occhi e cerca di diventare consapevole delle sensazioni che ti si presentano quando abbassi le palpebre. Fai attenzione all'aria mentre inspiri ed espiri. Respira normalmente e senti la freschezza dell'aria a ogni inspirazione attraverso il naso e la sensazione di un maggior calore mentre espiri attraverso la bocca. Mantieni questo ritmo tranquillo e leggero per alcuni minuti. Scopri se questa pratica ti dona tranquillità o meno. Quando ti senti abbastanza calmo e immobile, cerca di eseguire il prossimo esercizio.

Immagina che sia mattina presto e che tu ti sia appena svegliato. L'alba sta spuntando e puoi vedere con la mente i primi raggi di luce apparire all'orizzonte. Questo è un primo segnale che predice l'apparire del sole e l'inizio di un nuovo giorno. Cerca di avvertire un senso di attesa poiché si tratta di una giornata nuova, mai esistita prima, che viene da Dio fino a te. Questo giorno porta con sé delle opportunità. Porta anche nuove speranze, sogni e possibilità da cui puoi trarre vantaggio. Prega affinché queste nuove possibilità non vadano perdute e tu le possa sfruttare al meglio e pienamente.

ESERCIZIO 2

Esprimere gratitudine

Prima di iniziare a pregare, metti ordine nella tua mente. In una stanza silenziosa, siedi comodamente su uno sgabello o su una sedia dallo schienale rigido. Assicurati che sia una stanza in cui ti senti a tuo agio e dove non sarai disturbato. Chiudi gli occhi e comincia a prestare attenzione al tuo respiro. Non cambiarne la profondità né il ritmo. Limitati a fare attenzione all'aria a mano a mano che si muove nel tuo corpo attraverso le narici, osservane il suono e la sensazione che ti causa l'aria stantia che espiri. Quando ti sei abituato al ritmo, diventa consapevole della sensazione che ti procura l'aria quando tocca la tua pelle. Notane la freschezza mentre inzia il suo viaggio all'interno attraverso le narici e sperimenta la sensazione leggermente diversa mentre, alcuni secondi più tardi, esce di nuovo attraverso la bocca o il naso. Non appena senti che il corpo è in certo qual modo rilassato, puoi dirigere la mente verso una direzione adatta alla preghiera. Inizia col pensare a qualcosa per cui provi gratitudine. Potrebbe trattarsi della salute, degli amici, del tuo lavoro o anche del tuo ambiente, o di qualsiasi altra cosa con cui senti di essere stato benedetto. Quando hai scelto, per esempio, di rendere grazie per il dono della vista, comincia a renderti conto che proprio oggi molte cose ti sono state rivelate attraverso il "canale" della vista. Puoi aver avuto la fortuna di passare attraverso una bellissima campagna, o aver goduto di un tempo meraviglioso. Mentre ti concentri sulla bellezza del panorama o di una persona che ti si è presentata, comincerai forse a renderti conto che queste cose ti fanno sentire grato per il semplice fatto di essere vivo. Termina con la preghiera della veggente Juliana da Norwich: «Come sono fortunata, come mi sento grata».

ESERCIZIO 3

Meditazione sul respiro

Mettiti tranquillo...

Sistemati in una posizione comoda ed equilibrata...

Fai un respiro lento e profondo, conta lentamente fino a quattro a mano a mano che inspiri ed espiri.

Lascia uscire l'aria con un profondo sospiro.

Continua a respirare in questo modo per un paio di minuti...

Resta calmo... senti la calma... ascolta il silenzio... senti il ritmo naturale.

Concentrati su quanto sta accadendo mentre respiri: nota che l'aria è fresca mentre passa attraverso le narici, tiepida quando ne esce...

Adesso rilassati e lascia che il respiro fluisca con facilità... senza sforzo.

Sii semplicemente consapevole del tuo respiro naturale.

Ogni volta che la tua mente divaga, prendine nota e ritorna alla consapevolezza del ritmo del tuo respiro.

Dopo aver continuato questo esercizio per alcuni minuti, riporta la tua consapevolezza al momento presente e al luogo in cui ti trovi.

Alla ricerca del bue

I Disegni del Bovaro: I principianti di meditazione trovano che spesso la loro consapevolezza divaga a ogni minima provocazione. Non essendo abituata alla disciplina, sembra che la mente abbia una sregolata volontà sua propria che ha bisogno di essere domata se vogliamo mantenere la concentrazione per un determinato periodo di tempo. Queste immagini, modellate sugli originali del Buddismo Zen, formano un'allegoria che illustra tale processo. Lo stadio finale, rappresentato dal cerchio vuoto, suggerisce uno stato di totale autoassorbimento, in cui l'individuo diventa dimentico sia della mente in azione sia della propria identità individuale.

1

INIZIAMO

«Prega meglio chi non sa di star pregando.»

Sant'Antonio da Padova

Anthony De Mello fu un maestro ed esperto in materia di preghiera. Voleva che sapessimo – indipendentemente da come ci sentiamo – che Dio si rende sempre disponibile per noi. In parole semplici, De Mello suggeriva che – se lo desideriamo – possiamo avere una conversazione con Dio. Non ha però detto che iniziare e portare avanti un tale dialogo fosse facile. Lo è o non lo è? Potreste pensare che sia semplice rispondere a questa domanda. Non dovrebbe essere difficile stabilire chiaramente se intraprendere una meditazione di preghiera sia complicato o meno. Anthony De Mello aveva sempre un'espressione maliziosa quando parlava di quanto comprensibili fossero le regole per pregare. Di tanto in tanto diceva di essere sorpreso dal fatto che coloro che parlano e scrivono su questo argomento sembrano renderlo così intricato e complesso. Della stessa opinione è suor Wendy Beckett, la suora inglese che scrive così bene sullo stesso argomento. In uno dei suoi libri ricorda quando, da giovane, incontrò un pedante gesuita che parlava a destra e a manca della saggezza di trovare tempo e spazio per Dio nella nostra vita. Durante le sue arzigogolate divagazioni dichiarava che la pratica di parlare con Dio non era molto complicata. «Spero che lo credesse davvero», disse la buona sorella, «perché il modo in cui lo diceva non indicava affatto che fosse vero.»

Prima di cominciare, può rivelarsi interessante prendere in esame qualche concetto e fraintendimento in materia di preghiera. Ad esempio, alcuni chiedono se la meditazione è una specie di panacea per ogni tipo di problema. Può correggere tutti gli errori, e può farlo rapidamente? «No» è probabilmente la risposta più onesta, benché la preghiera e la meditazione possano portare rinnovamento e cambiamento nella nostra vita, anche se non ogni cambiamento è necessariamente buono, e non sempre indica crescita. Alcuni chiedono se possono aspettarsi di apprendere la pratica della meditazione in breve tempo e se sarà un lavoro difficile, mentre altri vogliono sapere se, decidendo di intraprenderla, si sentiranno annoiati o frustrati. È giusto dire loro che chiunque scriva sui princìpi della preghiera sottolinea sia la fatica sia il beneficio. Dicono che, oltre a donare stimoli e vigore, la preghiera è anche difficile, talvolta inflessibile e faticosa.

Per illustrare questo concetto, in India amano raccontare di un guru che si recò in un ashram a insegnare i fondamenti della preghiera. Al suo arrivo trovò la stanza piena di studenti. Il guru iniziò mettendo un dito sulle labbra e chiedendo un silenzio assoluto. «C'è troppo rumore qui, per favore cercate di restare in silenzio», chiese, e questo meravigliò grandemente i partecipanti. Molti fra i presenti pensavano che l'atmosfera fosse serena e quasi immobile. Si poteva sentire solo il respiro ansioso degli studenti. Il guru disse di nuovo: «Per favore, c'è ancora troppo rumore». Gli studenti si scambiarono delle occhiate. Si sarebbe potuto sentir cadere uno spillo. Nessuno parlò. «Troppo rumore», il guru disse ancora. «Troppe chiacchiere nella mente. Sussistono ancora troppi pensieri, sentimenti, opinioni, giudizi e agitazione. Non potrete meditare finché non avrete eliminato il rumore dentro di voi, a questo punto non dovrete più farlo perché, se ci credete veramente, le cose cominceranno ad accadere.»

Karen Blixen, una danese che si trasferì dal suo Paese in Africa per iniziare una nuova vita, illustra bene questo concetto citando un esempio, per lei importante, circa il potere del credere. Un giorno, poco dopo il suo arrivo, era andata a caccia con degli amici, quando uno dei suoi servitori africani – che al momento stava abbattendo alberi – ebbe improvvisamente un incidente: la gamba gli fu schiacciata dalla caduta di un albero. Blixen racconta che sentì il poveretto lamentarsi e gli si avvicinò rapidamente. Quando raggiunse il luogo in cui si trovava, si rese conto che il ragazzo soffriva terribilmente. Questi la implorò di fare qualcosa. Di solito Blixen portava in tasca delle zollette di zucchero da dare agli animali feriti, ma questa volta non aveva niente. Il disgraziato le chiese ancora più intensamente di usare qualsiasi mezzo a sua disposizione per sollevarlo dal dolore. Proprio in quel periodo il re di Danimarca le aveva inviato una lettera scritta di suo pugno e per fortuna quel giorno la donna aveva portato la lettera con sé. Tirandola fuori della tasca, disse al giovane ferito che un messaggio personale come quello da parte di un re aveva dei poteri quasi magici. Poteva più o meno eliminare ogni dolore, per quanto terribile. Posò quindi la lettera sulla gamba ferita del ragazzo e la tenne a posto con la mano. Continuò così per tutta la notte e in seguito raccontò come le parole e i gesti di cui si servì avessero un potente effetto sul giovane. Sembrò che in qualche modo il pensiero di quella lettera speciale desse coraggio al ragazzo e gli togliesse gran parte del dolore. Da allora in poi, ogni volta che una persona del luogo si ammalava gravemente, Karen Blixen e la sua famosa lettera fornivano un aiuto altamente apprezzato. I nativi chiedevano in prestito la lettera del re quando si verificavano delle situazioni pericolose, poiché credevano che, portandola addosso, qualcosa di molto potente sarebbe accaduto. Dato che ci credevano, di solito accadeva realmente qualcosa, ma non tutte le preghiere producono dei risultati in modo così magico.

Molti santi – e in particolare Teresa d'Avila e Ignazio di Loyola – non cercano di indorare la pillola per i "principianti della preghiera" con facile sentimentalismo e false promesse. Non lo fanno neppure gli insegnanti di seminari o noviziati. Ricordo che uno dei miei primi istruttori era solito dire che dovevamo aspettarci di iniziare la nostra vita di preghiera con due anni di consolazione e proseguire quindi con venti anni di desolazione. Era convinto che la preghiera fosse un lavoro faticoso, un lento processo di ponderazione su domande inquisitive e tormentose che si insinuano nella mente di ognuno, a un certo punto della vita. Ci vuole tempo e sforzo per scoprire dove Cristo è stato presente e che cosa sia stato il "flusso" della nostra vita nei mesi trascorsi. Non dobbiamo aspettarci di scoprire troppo rapidamente i momenti o le aree di consolazione, perché un certo discernimento è necessario al fine di vedere dove si manifestino vita, entusiasmo, energia, gioia e pace. In breve, trovare dove Dio sia stato attivo nella nostra vita è un compito che non può essere eseguito in fretta. Nello stesso modo, spazio e tempo sono necessari prima di renderci conto da dove sono apparsi scoraggiamento e offuscamento dello spirito. Quando ci chiediamo che cosa ha causato paura, scoraggiamento, tristezza e depressione nella nostra vita, probabilmente risposte e idee tarderanno a manifestarsi, mentre siamo tentati di aspettarci risultati immediati. Se è questo ciò che ci aspettiamo, resteremo delusi. Con tanto rumore e clamore presenti nella cultura moderna, è cosa saggia ritagliarsi dei periodi di silenzio in modo da raggiungere la consapevolezza di se stessi. Questi momenti di silenzio hanno un prezzo. Possono portare con sé più di quanto ci aspettiamo. Nel silenzio, possiamo incontrare il nostro grande nemico, quello che temiamo di più – noi stessi – poiché applicarsi alla preghiera significa essere presenti a ciò che accade intorno e dentro di noi. Nei dizionari troviamo a volte la definizione di "profonda riflessione" ossia essere presenti a Dio in modo profondo e significativo. Mentre pratichiamo l'"essere presenti", dovremo esaminare parecchie nostre credenze unitamente ad altro bagaglio che ci siamo portati appresso per anni.

Quando cominciamo a meditare, scopriremo diversi stati d'animo, idee e sfumature. Sarà come una rivelazione, benché forse non lo sarà altrettanto per i nostri amici o per chi ci osserva. Ciò che noi vediamo con difficoltà può risultare chiaramente evidente a coloro che ci hanno guardato per anni dall'esterno e che hanno avuto a che fare con le nostre debolezze. Il senso di noi stessi può venire acuito dall'ascoltare tali rivelazioni. Possiamo regolare le nostre antenne con maggior precisione, e tale regolazione è utile. Suor Wendy Beckett, di cui ho già parlato, si spinge fino a dire che la spiritualità va al di là dell'arte di essere presenti a se stessi e di riconoscere ciò che accade intorno e dentro di noi. Essa suggerisce che, durante la preghiera, siamo come un pescatore che lavora. Può sembrare che non stiamo facendo niente, mentre in realtà molte cose stanno accadendo. Proprio come il pescatore che tiene gli occhi ben aperti per scoprire la brezza leggera che increspa la superficie del lago, o nota come l'acqua turbini e mulinelli intorno ad alcune forme e formazioni lungo i contorni della costa, coloro che si impegnano nel campo della spiritualità stanno all'erta per scoprire segni e indicazioni di fede interiore. Il pescatore resta all'erta perché ciò lo aiuta nel suo lavoro. Così nel campo della spiritualità il supplicante è abile nel suo tentativo di riconoscere gli "alti e bassi" della vita e cerca di riconoscere "il dito di Dio" o "le tracce dello Spirito" nel vivere quotidiano. Si chiede: «Che cosa ha sollevato il mio spirito in questi giorni?» oppure, se si sente desolato: «Che cosa ha indebolito il mio spirito e mi ha privato di energia?».

Tali gradi di autoconsapevolezza sembrano dapprima un affare impossibile per cui si pone immediatamente la domanda: «È possibile che qualcuno – ognuno – riesca a farlo?». Al momento esistono dieci milioni di americani adulti che dichiarano di praticare regolarmente una forma o l'altra di meditazione per cui, con la giusta disposizione, la risposta è probabilmente affermativa. A noi viene semplicemente chiesto di restare svegli ed essere consapevoli nella speranza che, sedendo in silenzio per almeno mezz'ora al giorno, concentrandoci sul respiro, su una parola o su un'immagine, possiamo facilitare l'interazione fra Dio e il nostro essere più profondo. La meditazione non consiste in realtà in un forzare la mente a essere quieta, si tratta piuttosto di trovare la quiete che già esiste in essa. Trova il tempo di ripensare con un atteggiamento di preghiera a ciò che ti è accaduto fino a ora, per quanto hai potuto notare. Collega tali avvenimenti al mondo reale e al vero te stesso. Trova quindi il collegamento fra i due.

Il monaco trappista Thomas Merton ha detto che «la meditazione non ha né scopo né realtà a meno che sia fermamente radicata nella vita». Suo scopo è arricchire il vivere individuale ed essere nutrimento alla vita stessa. Ci mette in contatto con le nostre paure, le brame e i desideri più profondi e nascosti, vicino al posto dove è più probabile che troviamo Dio. La meditazione fa semplicemente riferimento a qualcosa che riguarda il tuo modo di essere e la conoscenza di ciò che quel te stesso è. Si tratta di arrivare a capire che stai percorrendo un cammino, che ti piaccia o meno. La tua vita è un viaggio. Parte di ciò che cerchi è una mappa realistica dello "spirito" che ti guidi sulla tua strada. Sappi che il viaggio è in continuo svolgimento e che, momento per momento, il terreno cambia continuamente. Ciò che avviene in un determinato momento influenza ciò che avverrà nel momento successivo, ma devi stare sempre all'erta e tenerti pronto. Devi cimentarti in questo tipo di preghiera al momento giusto e nel momento della tua vita in cui ti senti preparato e ricettivo. Sul portale del tempio di Delfi ci sono le parole: «Conosci te stesso». Anche noi abbiamo bisogno di fare regolarmente un inventario personale. La preghiera meditativa è il nostro mezzo per raggiungere tale scopo, in quanto ci permette di trovare il ritmo più adatto alla riflessione e facilita una relazione significativa e vibrante con il Dio vivente. Papa Giovanni Paolo II ha detto che raggiungiamo la pienezza della preghiera non quando esprimiamo noi stessi, ma quando permettiamo a Dio di essere presente in modo preponderante nella nostra preghiera. La meditazione ha molto a che fare con l'essere in intimità non solo con Dio, ma anche con il nostro "io" più profondo. Oggigiorno, forse più che mai, è enorme la necessità di trovare tempo e spazio per Dio. A mano a mano che fiorisce il lato materiale della nostra vita, può darsi che si manifesti un leggero sentore di inquietudine. Sia come individui sia come società ci rendiamo conto che qualcosa di fondamentale è venuto a mancare. Una "lacuna" o punto oscuro è diventato evidente. Sembra che Dio sia sparito dal nostro immaginario.

Una persona pia e riflessiva la pose in questi termini: «Quando ho iniziato a meditare, ho provato paura. Avevo timore di essere solo con me stesso e di guardare dentro buchi neri e baratri nel mio intimo». Molti di noi creano ogni sorta di evasioni e distrazioni per offuscare la realtà. Facciamo sogni a occhi aperti, ci dedichiamo ad attività affannose, sport e giochi mentali per sfuggire al possibile "buco nero", perché temiamo di scoprire una mancanza di significato o di scopo nella nostra vita. Un simile tipo di osservazione è un'arte notevole. Se vi è mai capitato di guardare in televisione le prove di abilità dei cani da pastore sarete certamente stati colpiti dalla diligenza con cui osservano tutto ciò che avviene intorno a loro. Sono consapevoli solo del momento presente. Sono totalmente all'erta, gli occhi aperti e le orecchie dritte. La situazione presentata al cane cambia continuamente. Le pecore si muovono in continuazione e il cane cerca di rispondere rapidamente a ogni indicazione sensoriale emessa dagli animali. È compito dell'istruttore far sì che il cane sia nel presente in ogni istante. È questa l'abitudine che cerchiamo di acquisire durante la preghiera poiché, nel silenzio interiore, possiamo ricevere un'improvvisa ispirazione e sperimentare una gamma di delicate emozioni. Ci rendiamo conto della nuova consapevolezza di ciò che si verifica dentro di noi e dei sentimenti che proviamo a riguardo. Il nostro corpo sarà talvolta nostro alleato, facendoci percepire ciò che accade, ma il suo messaggio è molto labile. La comunicazione e le sfumature di emozioni che rivela possono venir facilmente soffocati. Ciò avverrà certamente se non ci diamo da fare per ignorare il rumore incessante e il continuo chiacchiericcio che ci circondano senza posa.

Il nostro desiderio di meditare viene ostacolato da molti fattori. Possiamo sentirci intimiditi dal duro lavoro che comporta, dall'apparente mancanza di risultati, o dalle tante distrazioni che sembrano assalirci da ogni parte. Sembra spesso che, fin dall'inizio, i nostri pensieri vaghino ovunque. In Oriente ciò viene chiamato "sindrome della mente della scimmia", e gli esperti di preghiera locali paragonano la mente a un gruppo di scimmie agitate che si divertono a scorrazzare tra i rami di un albero. Similmente, è difficile per la mente riuscire a concentrarsi. Si presentano degli ostacoli, primi fra i quali sono la pigrizia e l'indolenza. Sappiamo che un viaggio non può avere inizio se non si compie il primo passo, e proprio intraprendere questo primo passo può risultare estremamente difficile.

Prima di cominciare un viaggio spirituale è probabile che saremo assaliti dai dubbi e dall'indecisione. Sono in molti a sperimentarlo. Il noto gesuita americano William Barry ha raccontato di trovare molto difficile mettersi a pregare e che molti gli chiedono perché se ne preoccupa. Dai suoi scritti le risposte a tale domanda risultano particolarmente oneste. Per prima cosa egli ammette di pregare perché è un prete e un gesuita. Ci si aspetta perciò che lo faccia. Questa è una risposta che non può dare a voce troppo alta, per cui continua dicendo che a volte ha pregato principalmente per rappacificarsi con Dio o perché aveva bisogno di un favore. Da queste risposte emerge una specie di imbarazzo personale. Se vi è costretto, la sua natura migliore si rivela e finisce per ammettere che prega perché crede in un Salvatore. Nel profondo brama un'interazione con il divino. «Penso di pregare perché il mio cuore desidera ardentemente Dio. Cerco perciò di far sapere a Dio chi io sia e Gli chiedo di rivelarsi a me.» Il suo metodo di preghiera è semplice. Racconta a Dio ciò che avviene nel suo cuore e aspetta poi per vedere se Dio gli risponda in un modo qualsiasi. Come sant'Ignazio di Loyola, vuol conoscere Gesù nel modo più completo possibile, ma questo può verificarsi solo se apre al Salvatore la parte più profonda di sé. Ciò che disse sant'Ignazio di Loyola è probabilmente vero, e cioè che siamo fatti per Dio e che non saremo felici finché non si verificherà una qualche forma di comunicazione fra noi stessi e Colui che ci ha creato.

ESERCIZIO 1

Esercizio preparatorio

Le grandi religioni del mondo, Cristianesimo, Induismo, Ebraismo, Islam e Buddismo per indicarne solo alcune, raccomandano la meditazione. I requisiti per questo tipo di preghiera sono il silenzio, l'immobilità, la consapevolezza e la concentrazione. Durante la preghiera cerchi di essere attento al momento presente. Non devi fare niente. Devi soltanto "essere". Di solito il tempo che dedichi a una tale preghiera ti aiuta a conoscere meglio te stesso e a riconoscere i tuoi talenti e le tue capacità. Ti aiuta talvolta persino a vedere Dio sotto una luce nuova. La meditazione sulle storie del Vangelo fa in genere capire meglio non solo come Cristo interagì sulla terra con coloro che ebbero a che fare con Lui, ma mette anche in luce sia la forza sia le debolezze che si trovano dentro di noi. Cristo, da come vediamo nel Vangelo, è più che desideroso di aiutare chi è preparato ad aiutare se stesso, per cui è ragionevole supporre che Egli sia ugualmente desideroso di fargli vedere i veri desideri del suo cuore, se si mantiene aperto verso di Lui. È proprio questa la premessa che mi sta a cuore.

Sistemato nello spazio che hai dedicato alla preghiera, comincia col rilassarti e chiedi di provare un sentimento intimo della presenza di Dio mentre preghi. Sforzati di diventare consapevole di come sei in questo preciso momento. Libera la mente dalle preoccupazioni giornaliere e sperimenta le emozioni delle persone nei Vangeli che erano andate a vedere e ascoltare Gesù. Queste persone, dalla lettura dell'Antico Testamento, sapevano che il loro Salvatore era intimamente collegato con loro stessi ed era Colui che li aveva conosciuti fin dal primo attimo della loro esistenza. Egli era il creatore che li amava, che aveva donato loro il primo respiro e che li aveva tenuti sul palmo della propria mano. Recita adesso una breve preghiera e chiedi che, mentre preghi, tu possa sentirti altrettanto amato e protetto. Cerca di immaginare Dio che ti guarda e che ti ama, poiché conosce la bellezza che c'è dentro di te. PermettiGli di parlarti dei talenti che vede in te. Egli conosce i segreti del tuo cuore e sente quando stai attraversando momenti buoni o cattivi. ChiediGli di essere con te nei momenti bui e di darti coraggio nei momenti di dubbio. Invoca luce e calore quando tutto sembra desolato. Diventa consapevole di qualsiasi cosa nella tua vita che ti arreca disturbo e chiedi che il Suo spirito possa darti un senso di forza, quando tali fattori di disturbo sembrano sopraffarti.

ESERCIZIO 2

Preparazione alla preghiera

Proviamo una breve, semplice preghiera e vediamo come vanno le cose.

Recati nel luogo che hai scelto e assumi una posizione che potrai mantenere comodamente per circa venti minuti. Mettiti tranquillo. Sii nel presente. Respira profondamente. Cerca di restare in contatto con i tuoi sentimenti. Inizia con l'essere consapevole del tuo respiro. Respira un po' più profondamente del solito e senti come ciò ti aiuta a rilassarti. Fai attenzione al respiro mentre entra ed esce dal tuo corpo. Nota come viene assorbito al tuo interno, diventando parte di te mentre inspiri. Pensa a come questo processo sia ribaltato quando cominci a espirare. Studia il movimento ritmico e continuo del respiro a mano a mano che invii l'aria in profondità all'interno e cerca di visualizzare con la mente tale attività.

Alcuni dichiarano di non avere immaginazione ma, a meno che anche tu non sia uno di loro, sforzati di creare un'idea o un'immagine. Trovo che per fare ciò sia utile usare la fantasia come coadiuvante. Immagino che, mentre inspiro, la stanza in cui sto pregando sia piena di una specie di nebbia colorata e cerco di vedere con gli occhi della mente come questa nebbia si faccia strada nel mio corpo, colmandolo lentamente. Entra prima attraverso le narici, iniziando quindi il suo percorso giù giù fino alla parte più profonda del mio essere.

Come se tu stessi guardando l'azione in televisione, segui questa nebbia colorata mentre viaggia lungo la parte posteriore della tua gola giù fino alle spalle. Continua adesso a osservare – come se avessi un dorso trasparente – il fumo colorato mentre si sposta nella zona toracica, circolando da qui all'interno della colonna vertebrale, e facendosi strada fino in fondo allo stomaco. A mano a mano che questa immagine ti si presenta, limitati a restarne consapevole. Per aiutarti in questo processo, può essere utile parlare silenziosamente a te stesso, commentando le azioni che si verificano a mano a mano che le osservi. Il passo successivo è l'espirazione. Lascia che l'aria stantia si faccia strada dal fondo dello stomaco verso l'alto, circolando verso l'alto nella colonna vertebrale fino alla zona toracica. Immagina che si muova attraverso la punta delle tue dita verso le spalle, prima di essere nuovamente immessa nell'ambiente esterno attraverso la gola e la bocca.

Mentre crei questo tranquillo ritmo di respirazione, può risultare utile dire a te stesso che, con ogni inspirazione, immetti in te la pace di Cristo. Mentre lasci uscire l'aria stantia, ricorda a te stesso che qualsiasi cosa ti abbia disturbato, sconvolto, frustrato o esaurito nel recente passato viene adesso rimossa. La tua preghiera consiste nell'inspirare tranquillamente pace e nell'espirare tranquillamente stanchezza. Vai avanti così per uno o due minuti, concludendo l'esercizio con calma.

Questo esecizio introduttivo di respirazione può rivelarsi uno strumento molto utile. Per prima cosa, fa rallentare, e quindi fermare, ogni azione. Può anche darsi che ti si presenti l'opportunità di trovare Gesù e conversare con Lui. Respira normalmente e mantieni l'attenzione sul ritmo del respiro. Ogni volta che inspiri, immagina di dare energia a te stesso. Mentre espiri, immagina di lasciar andare ed eliminare qualsiasi cosa ti impedisca di essere calmo nel tuo intimo. Noterai che fra le due fasi della respirazione si viene a formare una specie di vuoto naturale. Resta in questo vuoto. I mistici orientali dicono spesso che il respiro è il nostro più grande amico ed è proprio concentrandosi sul respiro che si può creare il rilassamento e la tranquillità interiore tanto utili alla preghiera.

Come nella maggior parte dei casi, anche qui la pratica fa raggiungere la perfezione. La semplice ripetizione dell'esercizio di cui sopra produce di solito dei risultati. Questo non significa che non ci saranno distrazioni. Comportati con queste come faresti con un cucciolo in addestramento. Tratta te stesso in modo simile a quello che useresti mettendo un cucciolo su un foglio di carta e incoraggiandolo a restarci. Proprio come il cagnolino si muoverà costantemente fuori del foglio di carta e ogni volta dovrà esservi ricondotto, anche per te sarà la stessa cosa. Non appena ti accorgi di esserti allontanato dall'attenzione al ritmo del tuo respiro, ritornaci con gentilezza e ricomincia da capo. Respira normalmente, mantenendo il ritmo facile e leggero. Non forzare niente. Noterai che, mantenendo l'attenzione focalizzata sul respiro, raggiungerai naturalmente un rilassamento sempre più profondo, diventando così sempre più tranquillo. Il cervello ha bisogno di un abbondante rifornimento di ossigeno per fare bene il suo lavoro e il respiro regolare e profondo che stai eseguendo calmerà le tue emozioni e apporterà calma alla mente. Mentre commenti con te stesso ciò che stai facendo: "Ora sto inspirando, ora sto espirando", diventa consapevole del fatto che il ritmo del tuo respiro è rallentato. Hai acquisito serenità. Bravo. Questo è proprio ciò a cui stai mirando.

ESERCIZIO 3

Il roveto ardente

Servendoti dell'esercizio preparatorio di cui sopra, crea un'atmosfera di serenità che predispone alla preghiera. Siedi e mettiti comodo. In questo esercizio il tuo scopo è sviluppare un senso di immobilità e silenzio dentro di te. Il silenzio interiore, se raggiunto e assaporato, produrrà dei benefici di lunga durata. La quiete e la pace che avrai ottenuto ti doneranno la forza di affrontare ogni difficoltà che la vita di porrà di fronte. Nel silenzio della meditazione scopri doni, speranze e convinzioni, cominciando a vedere i segni della presenza di Dio intorno a te. Un'antica poesia americana suggerisce che ogni roveto ardente è vivo della presenza di Dio, ma che solo coloro che vedono il Divino si levano le scarpe. È proprio questo senso di Dio tutto intorno a noi che stiamo cercando di raggiungere in questa sede.

Quando sei pronto, immagina di trovarti in un bellissimo luogo in campagna. È probabile che si tratti di un luogo che già conosci. Se preferisci creare tale luogo con la tua immaginazione, sentiti libero di farlo. Nell'Antico Testamento ci viene raccontato che Mosè si recò su una montagna dove scoprì un roveto ardente. Non è chiaro come ciò si fosse verificato ma, dalle poetiche parole già citate, risulta evidente che molti di coloro che incontrano tali cespugli vedono solo il cespuglio e nient'altro. Pochissimi si tolgono le scarpe o mostrano comunque un qualsiasi segno di rispetto.

Ripensa per qualche momento alle ultime settimane della tua vita e chiediti se per caso un qualche "roveto ardente" abbia incrociato la tua strada. Dove è possibile che Dio ti si sia rivelato? Se sei come la maggior parte di noi, dapprima non vedrai con chiarezza Dio, la Sua presenza, o le Sue azioni. In un certo senso siamo come i raccoglitori di more. Se perseveri, tuttavia, comincerai a comprendere meglio. Forse Dio si rende presente attraverso altre persone o eventi. Ripensa a situazioni in cui ti sei venuto a trovare o persone che hai incontrato nel corso dell'ultimo mese. C'è qualche parola, frase o azione da parte loro che ti balza alla mente? Non è possibile che Dio abbia ispirato tali parole o frasi e fatto in modo che, attraverso il vostro incontro, raggiungessero il tuo cuore?

Termina ringraziando per qualsiasi rivelazione ti sia stata fatta.

Quando lavoro con studenti, cerco sempre di incoraggiarli a non terminare la meditazione troppo in fretta. Dà a te stesso un periodo di "assestamento" di alcuni minuti. Ciò viene a creare una separazione fra la pace ottenuta durante la meditazione e l'agitazione della vita di tutti i giorni. Non saltar su, non correre via, incorpora la tranquillità nella tua normale esistenza.

ESERCIZIO 4

Maria presso la tomba
(Gv 20, 11-16)

Leggi dapprima la seguente storia narrata nel Vangelo:

> Maria di Magdala stava all'esterno della tomba piangendo. Mentre piangeva, si piegò per guardare all'interno e scorse due angeli vestiti di bianco, seduti nel luogo in cui era stato il corpo di Gesù, uno a capo e l'altro a piedi. Essi dissero: «Donna, perché piangi?». «Hanno portato via il corpo del mio signore e non so dove l'abbiano messo.» Mentre diceva ciò, si voltò e vide Gesù in piedi, senza però rendersi conto che si trattasse di Lui. Gesù le disse: «Donna, perché piangi, chi stai cercando?». Credendo si trattasse del giardiniere, ella rispose: «Signore, se l'hai portato via, dimmi dove l'hai messo e io andrò a prenderLo». Gesù disse: «Maria!».

Leggi questo testo lentamente più di una volta. Quale pensi sia il punto o la domanda principale? Quando leggo il passaggio, vengo colpito dal fatto che Maria non abbia riconosciuto Gesù, benché egli le stesse dappresso. La domanda per me più importante, mentre medito su questa storia, è se anch'io sono ugualmente distratto nella mia vita di fede.

Rileggi il testo ancora una volta, così da non aver bisogno di guardarlo di nuovo durante la meditazione. Ti offrirà anche l'opportunità di scoprire nuovi strati di significato e implicazioni mentre cerchi di capire quale sia la domanda più significativa per te. Chiediti cosa vuoi veramente ricevere da Dio in questo momento e prega affinché gli obiettivi che hai in mente possano realizzarsi.

Inizia concentrandoti sul respiro e respira normalmente, focalizzando l'attenzione su ciascuna inspirazione ed espirazione. Mentre inspiri, chiedi a Dio di donarti la pace della mente. Mentre espiri, espelli qualsiasi cosa ti arrechi disturbo ed elimina ogni tensione. Scoprirai che c'è una breccia naturale fra le due fasi della respirazione. Resta per un po' in questa breccia. Piuttosto che osservare il respiro, identificati a poco a poco con questa breccia come se ti unificassi con essa. Colui che respira diventa piano piano tutt'uno col respiro e con l'atto di respirare. Sentiti a tuo agio col ritmo del tuo respiro e consideralo il tuo più grande amico. Ti renderai conto che il lento ritmo dell'inspirazione e dell'espirazione ti aiuteranno a rilassarti, se ti soffermerai.

Immagina adesso la scena come è descritta nella

storia del Vangelo. Mettiti vicino a Maria Maddalena. Osservala nei suoi vari stati d'animo: solitudine, isolamento e dolore. Perché piange? Chiediglielo. È molto onesta per natura e ti dirà probabilmente che piange perché il suo Signore è morto, ma anche perché è del tutto consapevole delle sue debolezze. Il blocco che le impedisce di riconoscere Gesù è forse causato della conoscenza dei propri peccati? Lascia che la Maddalena te lo dica lei stessa. È forse la sua onesta umiltà che le permetterà di rimuovere il velo dai suoi occhi. Non sarebbe una cattiva idea chiederle di aiutarti a rimuovere la trave dal tuo stesso occhio.

Terminata la meditazione, siedi immobile ed esamina con calma cosa è accaduto. Ti sembra che qualcosa sia cambiato dall'inizio della meditazione? Renditi conto che hai compiuto qualcosa di positivo per te stesso e, indipendentemente da ciò che pensi sia accaduto, porterai con te i benefici della tua meditazione.

ESERCIZIO 5

Un esercizio di fantasia

Inizia dirigendo la tua consapevolezza verso il ritmo del tuo respiro. Cerca di osservare il respiro, nella tua immaginazione, mentre entra ed esce dal tuo corpo. Rilassati e sistemati. Assapora la sensazione che ti procura il respiro mentre entra ed esce normalmente. Aiutati contando silenziosamente mentre inspiri, e fai lo stesso quando lasci uscire il respiro dal tuo corpo. Un lento, silenzioso conteggio di uno, due, tre, quattro può bastare, mentre ti concentri sul respiro. Fai un conto mentale ogni volta che il fiato esce dal tuo corpo. Mentre siedi, pensa al corpo che ti è stato dato e alla vita che vivi grazie a esso. Che sensazione provi? Cerca di scoprire se senti gioia o tristezza nel fare tale esercizio.

Sforzati di ottenere una risposta amichevole e gentile verso te stesso. Può aiutarti il ripetere la frase di Juliana da Norwich: «Come sono fortunata, come mi sento grata». Mantieni questo sentimento di gratitudine e di gioia e, se ti pare che l'emozione diminuisca o svanisca, cerca pazientemente di ricrearla in te.

Ripensa adesso a un buon amico che hai avuto. Costruiscine un'immagine nella mente basandoti sul suo comportamento verso di te nella vita reale, ad esempio in una conversazione, durante un incontro o un avvenimento. È meglio che tu scelga qualcuno che ti è vicino per età, piuttosto che qualcuno che è molto più giovane o più vecchio di te. Cerca di creare in te un sentimento di gratitudine verso tale amico.

Pensa quindi a qualcuno che evochi in te dei sentimenti più neutrali rispetto all'amico che hai immaginato precedentemente. Questa volta si tratterà di qualcuno che né ti piace né ti dispiace in modo eccessivo. Dapprima è probabile che tu non provi alcun sentimento verso di lui. Cerca comunque di restare con qualsiasi sentimento emerga alla superficie. Sforzati di migliorare tali tiepidi sentimenti per quanto ti è possibile. Chiedi che cose positive si verifichino nella vita di tale persona.

Quando ti senti pronto, rivolgi la tua attenzione verso una persona con cui ti pare di non avere un buon rapporto, una persona che ti infastidisce o ti irrita in modo notevole. Una persona che non ti piace o che non ha una grande opinione di te. Diventa consapevole dei sentimenti che affiorano in te a mano a mano che ricrei l'immagine di questa persona. Probabilmente ti aspetterai che certi sentimenti particolari si materializzino nel momento in cui l'immagine viene creata, mentre devi invece cercare di identificare i sentimenti che emergono realmente. Per quanto ti è possibile, sforzati di eliminare ogni senso di acrimonia e di animosità che emerge come bile alla superficie. Tali sentimenti possono essere più dannosi per te che per la persona verso cui sono diretti.

Lo stadio finale di questa meditazione consiste nell'immaginare tutti e quattro i personaggi (te stesso, il buon amico, la persona neutra e l'individuo detestabile) tutti insieme in un gruppo. I tuoi sentimenti verso l'amico saranno caldi e generosi, ma cerca di evocarne di simili anche per gli altri due. Prega affinché il Signore guardi benignamente verso di loro e dispensi loro la Sua grazia. Chiedi che cose buone accadano sia all'amico sia al nemico. Vai avanti così per un po'.

Quando sei pronto, termina gradualmente la meditazione. Non concludere troppo bruscamente poiché ciò potrebbe rovinarti lo stato d'animo o lasciarti con una sensazione spiacevole. Concediti alcuni minuti di tranquillità, un'oasi di pace. Talvolta ci vuole un po' di tempo prima che il frutto di tale meditazione venga assorbito e può darsi che tu ti debba sforzare per scoprire in che modo ti abbia toccato.

Scoprire le tracce

2
IMPARIAMO QUALCOSA SULLA PREGHIERA

«Non è la montagna che conquistiamo, bensì noi stessi.»

Sir Edmund Hillary

È strano come certa gente compia lunghi viaggi per incontrare un guru o un maestro di preghiera senza sapere in realtà cosa sta cercando. Molti di coloro che si recavano da Anthony De Mello erano sì interessati a migliorare la loro vita di preghiera ma forse si sentivano un po' come sant'Agostino il quale, quando gli fu chiesto di spiegare il concetto di "tempo", dovette ammettere di esserne rimasto un po' imbarazzato. Sapeva cosa fosse il tempo secondo la normale accezione, ma se gli si chiedeva di darne una definizione esatta, non era in grado di farlo. I suoi pensieri si facevano confusi e tutte le sue teorie diventavano un po' offuscate.

Forse coloro che andavano da De Mello provavano sentimenti simili, quando si trattava della loro vita di preghiera e delle loro idee circa la preghiera. Avevano un'idea generale di ciò che significasse questa parola, ma diventavano vaghi se dovevano parlare della propria pratica di preghiera. Per fortuna De Mello provava empatia per il loro dilemma. Credeva che esistono molti modi di pregare e valutava il fatto che tradizioni diverse utilizzassero una vasta gamma di supporti e sistemi per facilitare tale compito. Gli elementi usati includono l'uso della meditazione, del silenzio, della visualizzazione, dell'autoriflessione e dell'immobilità, per nominarne solo alcuni, e De Mello stesso usava storie e parabole per spiegare e illustrare le pratiche di preghiera ai suoi ascoltatori. Una di esse racconta di un indiano molto noto per la sua abilità nel campo della preghiera. Molte persone venivano da ogni parte per conferire con lui e molti gli chiedevano consigli sulla spiritualità. Volevano sapere che cosa dovevano fare esattamente per ottenere i migliori risultati. Il guru, quando gli fu rivolta questa domanda, restò in silenzio per un certo tempo prima di donare la sua perla di saggezza. «State semplicemente seduti», disse. Bisogna ammettere che questa risposta non soddisfece del tutto alcuni di coloro che gli avevano rivolto la domanda, poiché il guru stesso non sembrava stesse seduto troppo a lungo. Era sempre in movimento e passava molto tempo andando in giro. Si diceva anche che, per tenersi occupato, si facesse assegnare dei compiti riguardanti l'amministrazione del monastero, per cui la sua risposta circa il restare fermi lasciò sorpresi e perplessi coloro che gli si erano rivolti. «Se è così» gli chiesero, «perché passi tutto il tempo a lavorare?» Il guru sorrise tranquillamente e rispose: «Se siete abbastanza in gamba, potete unire il lavoro all'immobilità interiore e alla meditazione».

Non molti di noi, tuttavia, sono in grado di combinare con facilità l'attività e l'immobilità. Dicono che una persona media abbia circa sessantamila pensieri al giorno. Se vi sembrano troppi, non disperate. Ho incontrato di rado qualcuno che cercasse seriamente di pregare e non sentisse di venire continuamente distratto nel suo tentativo di raggiungere il suo scopo. Nello stesso modo nessuno di coloro che ho consultato sente di dedicare tempo sufficiente a Dio o alla preghiera. Per dir la verità, se incontrassi qualcuno che credesse che la sua pratica di preghiera è più o meno perfetta, sarei propenso a studiarlo meglio e sarei altamente sospettoso. Il defunto primate inglese, il cardinale Basil Hume, un uomo che ammiro per quanto riguarda la capacità di pregare, sono certo sarebbe rimasto ugualmente dubbioso se qualcuno gli avesse detto di essere in grado di pregare senza difficoltà. Per illustrare l'idea che la preghiera richiede impegno, in uno dei suoi libri dice che, se la gente pregasse solo quando si sente di farlo, non pregherebbe quasi mai. Rimarca inoltre che, se sentiamo di essere troppo occupati per pregare, siamo più occupati di quanto Dio vorrebbe. Per tali ragioni egli raccomanda ai suoi lettori di trovare tempo e luogo per pregare regolarmente ogni giorno. Mette inoltre in rilievo che l'unico modo di imparare la pratica della preghiera è decidersi a farlo realmente. Non forzare te stesso oltre i tuoi limiti, ma inizia a poco a poco. A mano a mano che la tua determinazione si rafforza, stabilisci il tempo per la meditazione. Così, lentamente ma sicuramente, sarai in grado di allungare la durata delle tue sedute di modo che, dopo uno o due mesi, potrai arrivare a meditare per circa quaranta minuti. Non aspettarti che appaia una musa, che ti colpisca l'ispirazione divina, o che si verifichino delle circostanze disperate che ti facciano cadere in ginocchio. Limitati a cominciare. Inizia dal punto in cui ti trovi. Molti scoprono che una delle cose che li rende maggiormente perplessi è proprio il modo in cui cominciare.

Iniziamo quindi da qui. Scegli un momento della giornata che preferisci. Non essere troppo ambizioso. Può darsi che tu possa dapprima meditare solo per cinque minuti. Va benissimo. Non rinunciare col pretesto che non riesci a trovare cinque minuti oppure un luogo dove restare solo. È facile trovare scuse. Dona a Dio qualsiasi quantità di tempo tu riesca a trovare e imploraLo di accettarlo. OffriGli tutte le tue distrazioni unitamente alle meravigliose intuizioni che riceverai. Cerca di non servirti del concetto di "distrazioni" come scusa per non pregare. Le distrazioni fanno parte dell'esperienza. Non possiamo liberarcene completamente ma, come dicono in India «benché non possiamo fare niente circa gli uccelli che ci volano intorno alla testa, possiamo impedire che ci nidifichino nei capelli». In altre parole, cerca per quanto possibile di eliminare il rumore che ti martella in testa. Ho detto in precedenza che è probabile che le distrazioni invadano il tuo spazio di preghiera. Ma puoi offrire anch'esse a Dio come parte del tuo contributo.

Tempo fa ho tenuto un seminario alle Hawaii e ricordo che, verso la fine, uno dei partecipanti, una donna, venne da me con una bellissima conchiglia che aveva evidentemente raccolto in qualche posto sull'isola. Prima che me la consegnasse, il direttore del corso venne avanti e mi spiegò che tali conchiglie non sono facili da trovare, e che sono reperibili in un unico particolare punto dell'isola. Il luogo era difficile da raggiungere e molto lontano da dove si tenevano le conferenze. Mi sentii imbarazzato e cominciai a protestare che la donatrice non avrebbe dovuto prendersi tanto disturbo o camminare così a lungo per procurarsi tale dono. «Il lungo cammino è parte del dono» fu la sua semplice risposta mentre me lo offriva. Nello stesso modo le distrazioni fanno parte della preghiera e sono forse anche parte dell'offerta che vogliamo fare a Dio. Non permettere che ti allontanino dal tuo cammino.

Quando cominci, cerca di creare calma. Trova un posto dentro di te in cui puoi aprirti e parlare con Dio ed entrare in contatto con il tuo "io" più profondo. Può essere utile riflettere ancora un poco sui pensieri del cardinale Hume. Poco prima di morire, il cardinale scrisse un libro dal titolo umoristico *Basil nel Paese degli errori*. Tale titolo può sembrare strano ma il cardinale, che non era tipo da mettersi in primo piano, spiegò come l'aveva scelto. Dapprima aveva pensato di intitolare il libro *Basil nel Paese delle meraviglie*, ma poi pensò che, se avesse usato un tale titolo, la gente avrebbe creduto che egli sapesse di cosa stava parlando. Non è infatti necessario leggere troppo a lungo i suoi scritti o le sue conferenze sulla preghiera prima di renderci conto che il cardinale non solo aveva una profonda conoscenza della materia, ma che possedeva anche l'insolita capacità di rendere semplice e divertente ciò che scriveva. Gran parte dei suoi consigli e suggerimenti non solo sono chiari, ma anche profondi e possono essere di grande aiuto mentre ci accingiamo a iniziare il nostro viaggio nella preghiera.

Come molti buoni insegnanti, Hume rende le cose semplici e dirette. Comincia col domandarsi: «Quando si dovrebbe pregare?». La sua risposta sembra essere: «In qualsiasi momento ti sia possibile». Il tempo migliore per lui era la mattina presto e l'esperienza gli aveva insegnato che la sua preghiera di riflessione gli riusciva di solito meglio prima che le distrazioni della giornata si presentassero a soffocarlo. Potrebbe succedere lo stesso a te. A mano a mano che le ore passano, si pensa quasi esclusivamente agli affari della giornata. La mente si confonde sempre più. Per lo meno questo è ciò che accade alla maggior parte di noi e lo stesso accadeva al cardinale Basil. Egli aveva notato che, come la sua attenzione veniva attratta da ogni tipo di faccende mondane, similmente aumentava il livello di rumore col passare delle ore. Rimarcava ancora che un tale rumore e uno stile di vita troppo attivo non erano affatto utili poiché la preghiera è di solito favorita dal silenzio piuttosto che dall'agitazione. Perciò il primo passo che dobbiamo compiere è trovare un posto adatto.

Il passo successivo è trovare il tempo. Il teologo cristiano Origene, morto nel 255 d.C., amava dire che ogni posto è adatto alla preghiera ma, se vuoi pregare indisturbato, sarebbe meglio che tu trovassi un luogo particolare in cui puoi godere di una certa solitudine e isolamento. Una specie di luogo consacrato. Questo posto può magari avere un'atmosfera sacra per il semplice fatto che vi si prega regolarmente. Passare del tempo in un posto così aiuta moltissimo a ricaricare le proprie batterie. Assomigliamo un po' ai grandi girasoli che il pittore Vincent Van Gogh amava così tanto. Essi hanno una strana abitudine. Ogni sera chiudono i petali. È come se si prendessero una pausa dal mondo. Sembrano aver bisogno di chiudersi verso l'interno per un po' di tempo prima di volgere di nuovo il volto al mondo. Solo dopo aver usufruito di questo periodo di isolamento possono dedicarsi di nuovo al compito che Dio ha affidato loro. Quando il sole si alza dopo questo periodo di riposo, essi si rimettono in azione e riaprono i petali. Riprendono dal punto in cui avevano lasciato, e ricominciano a interagire con ciò che li circonda. I nostri momenti di preghiera solitaria hanno una funzione simile.

Per usufruire di questi momenti di rigenerazione, dobbiamo anzitutto porci alla presenza di Dio oppure, più precisamente, diventare consapevoli che Dio è vicino a noi. Proprio come una batteria si ricarica quando viene collegata a una presa di corrente, anche noi ci rinnoviamo durante il tempo che dedichiamo alla preghiera. Non è che non facciamo niente durante questi momenti, infatti ci sforziamo di essere più svegli del solito. Nei suoi scritti, papa Giovanni Paolo II dice che è necessario il silenzio se vogliamo avere l'opportunità di scorgere l'azione e la presenza di Dio nella nostra vita, anche se un tale silenzio può essere esigente, una vera sfida per noi.

Sembra dapprima che, nei momenti di silenzio, facciamo ben poco, ma è vero il contrario. Anche se apparentemente oziosi, molte cose si verificano sotto la superficie. Come quando il cigno scivola serenamente sulla superficie del lago senza alcuno sforzo apparente, gran parte dell'azione si verifica fuori della vista, sotto la superficie. Il noto scrittore americano James A. Michener era solito dire che il carattere consiste in ciò che fai dopo il terzo o quarto tentativo per cui, durante il tuo tempo dedicato alla preghiera, fai attenzione a qualsiasi segno o avvisaglia ti si presenti riguardo alla storia della tua vita o ai suggerimenti dello Spirito. Ad esempio, come ti sei sentito in questi ultimi giorni? Ci hai fatto caso? Che cosa ti ha esilarato e che cosa ti ha depresso? Di che cosa si è nutrito il tuo spirito? A che punto ti sei sentito completamente vivo? Potresti fare un esercizio per vedere come funziona per te. Ripensa ai giorni del tuo recente passato. Come ti sei sentito? Gli avvenimenti che si sono verificati ti hanno suggerito niente riguardo a te stesso? Chi hai incontrato? Quali prove o tribolazioni hai dovuto affrontare? È possibile che parole di saggezza di altre persone o brani di conversazioni ti siano rimasti impressi? Queste parole o ricordi portano con sé messaggi o indicazioni di movimenti interiori che possono essersi verificati in te?

Vorrei consigliare a questo punto di essere cauti. Non aspettarti niente di troppo drammatico. I movimenti o i segnali che ricevi possono essere molto leggeri, quasi come le piccole increspature lasciate da una delicata brezza sulla superficie di uno stagno. D'altra parte, tali segni o suggerimenti possono anche rivelarsi molto chiaramente, per lo meno ad altri se non a noi stessi. È possibile che i nostri amici o conoscenti scorgano dei tipi di comportamento altamente rivelatori. Chiedetelo a loro. Può darsi che noi non siamo altrettanto acuti o percettivi. Forse ignoriamo, rifiutiamo, dubitiamo, o neghiamo ciò che sembra starci di fronte. Chiediti: «C'è una cosa qualsiasi nella mia preghiera o nella mia vita che mi ha commosso in questi ultimi tempi?». Potresti fartene un'idea dai commenti che altri hanno fatto recentemente su di te.

Questo metodo per cercare di restare sveglio e consapevole, facendo attenzione a ciò che avviene nella nostra vita, è il metodo preferito da sant'Ignazio di Loyola. È molto realistico e naturale. Siamo talvolta tentati di credere che Dio risieda in qualche posto nello spazio o che Lo si possa trovare di preferenza nelle chiese o durante i servizi religiosi. Penso che sarebbe più esatto credere che Dio è con noi in ogni momento e in ogni situazione. Come è scritto nella Genesi (28,16): «Dio si trovava in questo luogo, e io non lo sapevo».

Prendi tempo per scoprire se ti sei lasciato sfuggire segni della presenza di Dio. Per molti di noi sono necessari elementi della vita contemplativa, almeno di tanto in tanto. Un simile tempo trascorso lontani dalla routine quotidiana crea spazio. Significa che possiamo essere presenti a ciò che sta accadendo intorno a noi e dentro di noi, indipendentemente da come ci sentiamo. Non è necessario essere degli eremiti per trovare un simile luogo e Anthony De Mello ha espresso molte volte lo stesso concetto. Ha raccontato spesso la storia del discepolo un po' pigro di un guru indiano che trovava difficoltà a raggiungere il silenzio interiore. Quest'uomo si lamentava di non riuscire mai a sperimentare l'immobilità di cui parlava così eloquentemente il suo maestro. Ciò lo sorprendeva e lo disturbava allo stesso tempo. Gli fu detto che solo la gente attiva che si dà da fare per ottenerlo raggiunge il silenzio. Dobbiamo prenderci il disturbo di creare dei periodi di tranquillità per noi stessi.

Ma non possiamo restare nascosti per sempre in questi bozzoli di silenzio e anche De Mello l'ha fatto notare. Come era solito fare, ha illustrato questo concetto con una delle sue numerose storie sui guru indiani. Racconta del modo in cui un direttore spirituale consigliava coloro che prolungavano il loro soggiorno nel monastero. Prima o poi a ciascuno di essi pervenivano le sagge parole del maestro che informava che era arrivato il momento di partire perché, se non se ne fosse andato, lo Spirito non sarebbe venuto. Questo messaggio faceva di solito storcere un poco il naso ai discepoli che chiedevano insistentemente al maestro dove si trovasse questo Spirito. E questa è la risposta che ottenevano:

L'acqua rimane viva e libera quando scorre.
Voi resterete vivi e liberi se ve ne andrete.
Se non vi allontanerete da me, ristagnerete e morirete e resterete contaminati.

Ci vuole coraggio a rischiare di lasciare ciò che ci è familiare. Nella calma della preghiera, chiedi a Dio di aiutarti a capire cosa avviene a livello più profondo della tua vita. Dapprima sembrerà che non ti si riveli niente di troppo interessante. Cerca comunque di perseverare in questa analisi dell'animo, anche se all'inizio non sei sicuro di ciò che devi fare. Alcune persone intuitive utilizzano uno stile di ricerca intima che si può paragonare a ciò che fa chi vaga su una spiaggia, aspettando quello che il mare vi getterà. Molto, anche se non tutto, di ciò che appare alla vista non è altro che inutile schiuma e relitti. Idee appaiono, immagini vanno e vengono, ma di tanto in tanto cominciano a mostrarsi anche messaggi significativi e percezioni circa il proprio "io" interiore. Dio sta forse portando alla superficie ciò che vi giace sotto.

Può darsi che Dio ci riveli aspetti di noi stessi che non conosciamo e che non sospettiamo neppure, e può darsi che faccia ciò per un buon fine. La meditazione purifica spesso una mente normale, smascherando distorsioni e illusioni, aiutandoci in questo modo a riconoscere chi siamo veramente.

Guarda, ascolta, impara e quando si verificano momenti di rivelazione, ringrazia. Si tratta del Suo dono. Se, d'altro canto, tali momenti d'oro non si verificano, sii comunque grato che la tua preghiera è ben accetta a Dio. Se la scoperta di se stessi non si verifica presto, la tentazione di rinunciare diventa grandissima. È proprio a questo punto che dobbiamo restare dove siamo e continuare, se vogliamo davvero ottenere i risultati che desideriamo. Ciò che ci serve è pura e semplice perseveranza.

Ricordo una scena in *Alice nel Paese delle meraviglie* in cui ci viene presentato un personaggio chiamato Dodo, che possiede in abbondanza la caratteristica che desideriamo anche noi. Nel romanzo Dodo e i suoi amici si bagnano moltissimo a causa del cattivo tempo e, mentre se ne stanno bagnati fradici e tristi, chiedono come possono asciugarsi. Il suggerimento di Dodo fu di organizzare una corsa di "comitato". Quando gli amici gli chiesero che cosa fosse questa corsa di "comitato" – e perché dovessero farla – Dodo rispose che il miglior modo per spiegarlo era quello di mettere in pratica questa faccenda della corsa. Bisognava che vi prendessero parte. Proprio come con la preghiera. La corsa ebbe inizio. Ognuno cominciò a correre quando ne ebbe voglia e smise quando più gli piacque. All'improvviso Dodo gridò che la corsa era finita. Gli amici chiesero chi avesse vinto e Dodo, che aveva organizzato l'intera faccenda, rispose che tutti avevano vinto e che ognuno avrebbe ricevuto un premio. Si può veramente dire che tutti fossero i vincitori perché a questo punto tutti erano riusciti a riscaldarsi e ad asciugarsi. Avevano portato a compimento la loro intenzione iniziale.

Possiamo dire la stessa cosa circa la gara della vita organizzata da Dio. La speranza è che ognuno perseveri e vinca. Ma – e questo è l'essenziale – è indispensabile che tu partecipi alla gara per ottenere il premio. Devi prendervi parte. È difficile vedere in che modo Dio possa aprire per noi la porta se non la lasciamo almeno un po' socchiusa. Durante la nostra partecipazione, talvolta le cose non andranno bene. Usando le parole di *Alice nel Paese delle meraviglie*, ci bagneremo e chiederemo perché. Discuteremo, litigheremo, pretenderemo delle risposte e spesso non ci troveremo di fronte se non quello che sembra un muro di silenzio. Infatti Dio di solito risponde, ma a Suo modo e a Suo tempo. Il Suo modo può arrivare inaspettato e le idee presentate possono facilmente venire ignorate dal cercatore impaziente. Impara a essere tollerante. Un vecchio maestro di ritiri, quando gli fu chiesto come pregasse e in che modo aspettasse la risposta di Dio, rispose: «Parlate al Signore con parole vostre e chiedeteGli di guidarvi. Fate sì che la vostra preghiera sia semplice. Parlate a Dio come a un padre, a Cristo come a un fratello, allo Spirito Santo come a un fedele compagno. Non siate troppo impazienti. Dovrete forse continuare a chiedere e a implorare per settimane. Nonostante le vostre suppliche, il Signore sembrerà spesso incurante». Possiamo però essere rincuorati da questo stesso maestro il quale – parlando per esperienza personale – ha raccontato che spesso Dio è venuto a lui in modo misterioso. «Tutto ciò che posso dire è che, nel mio caso, mi sento pieno di una pace mai sperimentata prima. Forse è proprio in questa pace che si trova la risposta che cerco.»

Nel Vangelo si nota regolarmente che Gesù raccomanda di pregare con diligenza poiché, come ci ha ripetuto molte volte, Dio ascolta. Ma allora perché sembra che il Padre renda talvolta la preghiera così difficile? Non ne sono sicuro, ma potrebbe essere perché proprio la lotta, quando viene affrontata, rende più dolce il successo, quando lo si raggiunge. Dio ci permette di sperimentare i momenti bassi della vita per insegnarci lezioni che non potremmo imparare altrimenti. Ricorda come i contadini pregano per la pioggia subito dopo aver piantato il grano. Una volta che il seme è ben piantato nel terreno, sperano in un periodo asciutto. Pensano che la siccità spingerà le radici del grano a crescere in profondità alla ricerca di acqua, piuttosto che rimanere in superficie. A meno che le radici non crescano verso il basso in direzione del livello dell'acqua, il grano si dissecchera e morirà non appena arriverà la calura estiva. La nostra preghiera è un po' così. Dio ci concede di solito un inizio facile, ma poi permette che si verifichino lunghi periodi di aridità. Queste zone aride costringono le radici della nostra preghiera a estendersi verso il basso. Siamo guidati a raggiungere livelli più profondi di fede piuttosto che restare a livello superficiale dove non ci viene chiesto troppo.

La nostra spiritualità può fare passi da gigante verso la maturità quando smettiamo di preoccuparci troppo della presenza di Dio, specialmente al momento di pregare. La tentazione è, per gran parte di noi, quella di voler sempre sentire Dio vicino e ci sentiamo abbandonati quando Egli allontana da noi il Suo volto. Cerchiamo sicurezza. Vogliamo essere sicuri che Dio esiste. Se una tale certezza venisse automaticamente con la preghiera, tutti la praticherebbero. Non avremmo assolutamente bisogno della fede, ma solo della capacità logica di arrivare all'esistenza di Dio nella nostra testa. E la testa, come dice De Mello, non è un luogo particolarmente buono per restarci, se vuoi approfondire la tua vita di preghiera. Può non essere un cattivo posto per cominciare, ma se resti tra le nuvole troppo a lungo, sarà sempre più difficile raggiungere il cuore. Se ciò avviene, allora la tua preghiera diventerà probabilmente arida e frustrante. Non solo questo, ma se non riusciamo a uscire dalla zona della testa e rifiutiamo di muoverci verso il cuore, allora la nostra preghiera diventerà quasi certamente un semplice dovere. Dobbiamo dirigerci verso il sentimento, la sensazione e l'amore. Qui è dove risiede la contemplazione, la zona in cui la preghiera può diventare una forza trasformatrice.

Dio ha scelto di farci tutti diversi perciò, da parte nostra, dobbiamo trovare un modo di pregare che migliori la nostra relazione con l'Onnipotente. A volte ci vogliono anni per trovare questo modo. Il benedettino inglese Basil Hume, da me già citato in precedenza, ha notato che il modello di preghiera che gli era stato proposto quando era giovane non gli era sembrato particolarmente adatto a se stesso. In parole povere, per lui non funzionava. Racconta che, nel suo caso, gli ci è voluto del tempo per scoprire il metodo di pregare più adatto a lui, un metodo che vibrasse all'unisono col suo stile di vita e che facesse più riferimento al cuore che alla testa.

Perciò quale stile di preghiera è più adatto a te e a me? Dovremmo forse sperimentarlo, prima di esserne certi. Può perfino darsi che stili o metodi diversi siano più adatti in momenti diversi della nostra vita. La fede è un dono di Dio, per cui cercare di sviluppare un legame fra Dio e noi è principalmente lavoro di Dio, ma ciò non ci impedisce di fare quello che possiamo. Costruire delle relazioni può sembrare un compito lento e ponderoso, ma possiamo trarre incoraggiamento dal lavoro di Theodore Elliott, un ingegnere che, nel 1848, cominciò a lavorare sul ponte sospeso Melrose. Il progetto era un tentativo di collegare gli Stati Uniti al Canada, vicino alle Cascate del Niagara. Dato che le acque che scorrevano vicino alle rapide erano veloci e agitate, Elliott ponderò a lungo su come ancorare un collegamento da un lato all'altro. Non si poteva nuotare fra le due sponde perché le acque scorrevano troppo veloci e per la stessa ragione non si poteva neppure remare. Era necessario qualcosa di più ingegnoso. Per prima cosa fu fatto volare attraverso il fiume un aquilone con attaccato un filo sottile. Quando gli operai su ciascuna sponda ebbero in mano il filo, attaccarono una cordicella e, per mezzo del filo, trainarono piano piano la corda attraverso il fiume. Dopo di che una fune venne legata all'estremità della cordicella e il processo fu ripetuto. Solo allora Elliott attaccò un cavo metallico alla fune e trainò l'intera linea da un lato all'altro. Il collegamento fra i due lati, iniziato con un sottile filo, fu progressivamente sviluppato e rinforzato. Con questi mezzi fu raggiunto lo scopo.

Il nostro contatto con Dio può avvenire in modo altrettanto delicato. Da un piccolo inizio possiamo passo passo sviluppare un legame o un collegamento solido. È spesso difficile sapere cosa può essere utile. Si possono usare parecchi stratagemmi per rafforzare questo legame, come scoprì il presidente americano Abramo Lincoln. Se ne rese conto quando, essendo avvocato, fece visita a un'anziana cliente. Questa signora si trovava sul letto di morte e gli chiese di redigere il suo testamento e, mentre lo faceva, la signora gli chiese di affrettare il suo viaggio verso Dio leggendole alcuni brani della Bibbia. Il futuro presidente non si aspettava una simile richiesta, ma iniziò a recitare a memoria i versi: «Il Signore è il mio pastore». Ciò sembrò sortire l'effetto desiderato. Dopo poco la donna spirò in pace e i presenti commentarono con sorpresa che Lincoln aveva agito sia da pastore sia da avvocato. Il futuro presidente si espresse così a riguardo: «Non si sa mai cosa può rafforzare il legame fra una persona e Dio. So solo che in quel momento Dio e l'eternità mi erano molto vicini.».

Serviti di qualsiasi opportunità ti si presenti per rafforzare o risvegliare i legami fra Dio e te stesso. Fai in modo che non passino inosservati. La maggior parte di noi pensa che i nostri deboli tentativi di pregare siano forse il peggior esempio di tale arte, ma se ci fermiamo e facciamo attenzione agli altri, ci sentiremo rassicurati. Quasi tutti pensano che i tentativi di pregare di coloro che li circondano siano migliori dei propri.

Mi resi conto di ciò qualche tempo fa, quando in un gruppo di gesuiti in ritiro si cominciò a discutere sui vari tentativi di preghiera. Il primo a parlare disse che cercava di restare immobile e in silenzio fin dal primo momento. Sottolineò che, benché parlasse e instaurasse una conversazione col Signore, cercava anche di creare uno spazio in cui poter ascoltare. Sentiva che era importante dare a Dio l'opportunità di parlare, altrimenti l'interazione diventava unilaterale. Diversi altri gesuiti parlarono a turno del modo in cui cercavano di interagire con Dio, e una grande quantità di stili di preghiera fu portata alla luce. Il secondo spiegò come egli cercasse una specie di specchio di Dio in coloro con cui aveva a che fare. In un certo senso sentiva che Dio gli parlava attraverso i suoi compagni. Il terzo gesuita indicò un approccio diverso poiché faceva uso di una frase resa famosa da un noto scrittore irlandese, Brendan Behan il quale, quando gli chiesero se fosse cattolico o no, rispose che era un cattolico notturno. Con ciò intendeva dire che pregava soltanto quando si trovava nei guai o, per usare le sue parole «nel buio». Allo stesso modo il terzo gesuita disse di aver notato la presenza di Dio specialmente nei momenti di dolore, di tristezza, di agitazione, di tragedia, oppure quando si trovava contro un muro cieco – o per lo meno così gli sembrava – nella sua relazione con Dio. Gli pareva che ciò avvenisse in modo particolare quando sentiva di avere tante domande senza risposta. La quarta persona che parlò disse di notare la presenza di Dio più chiaramente nella natura. Sentiva la bellezza di Dio mentre camminava sulla spiaggia o faceva passeggiate in montagna, o quando restava affascinato dai tramonti che ponevano fine a giornate lunghe e difficili. Stili contrastanti di preghiera andavano bene per individui differenti in diversi momenti della loro esistenza. Perciò, quale stile di preghiera potrebbe essere il migliore per portare te a sentire la presenza di Dio?

Alcuni dicono che per loro la preghiera si svolge in quattro fasi. Dapprima parlano a Dio, anche se questo non dà all'Onnipotente molte opportunità di rispondere. Poi, quando si sentono in grado di farlo, spostano l'attenzione e parlano con Dio. Quindi ascoltano Dio e infine – benché questo sembri prendere parecchio tempo – arrivano al punto in cui cercano di captare qualsiasi presagio di Dio nella propria vita. Cercano di essere consapevoli di Dio a mano a mano che Egli si rivela loro. Assaporano la ricchezza, percepiscono il dolore, si rendono conto della noia della propria vita, e cercano di restare nel momento presente. Uno dei miei professori di teologia era solito dire che per lui la preghiera consisteva nel riflettere giornalmente su ciò che accadeva nella sua vita. Devi comportarti come una mucca che rumina in un campo. Pensa agli eventi della giornata ed esaminali a uno a uno. Nota cosa è accaduto e cerca di riconoscere dove è possibile che Dio sia stato attivo nella tua vita. Considera ogni piccolo avvenimento e – per così dire – rumina su ciò che ne emerge. Resta con ogni avvenimento finché ne hai lentamente tratto fuori tutto il lato positivo. Può darsi che tu non riesca a trarre tutto il buono contenuto in ciò che è accaduto, ma puoi per lo meno guadagnare tutto ciò che ti si presenta in questo momento.

ESERCIZIO 1

Prepararsi alla preghiera

Come abbiamo visto, Anthony De Mello consigliava brevi esercizi per raggiungere il silenzio interiore. Voleva che i suoi ascoltatori ottenessero la rivelazione portata dal silenzio. Per far ciò egli suggeriva di trovare una posizione comoda, chiudere gli occhi e restare quindi in silenzio per dieci o quindici minuti circa. Dapprima è necessario calarsi nel silenzio e, dopo esserci riusciti, bisogna immergersi in qualsiasi cosa esso ci abbia rivelato. Alla fine degli esercizi di De Mello i partecipanti venivano invitati ad aprire gli occhi e a condividere con i compagni le proprie esperienze. Si raccontavano l'un l'altro, per quanto possibile, ciò che avevano sperimentato durante il periodo di silenzio. Può essere utile ai partecipanti prendersi alcuni minuti con carta e penna e buttar giù quanto è emerso per loro a livello personale, prima di condividere alcunché a parole.

ESERCIZIO 2

I tre re Magi

Chiudi gli occhi e comincia a osservare il modo in cui respiri. Fai attenzione al ritmo del respiro e a quanto profondamente tu inspiri. Per rendere più facile questa attività, immagina che il luogo in cui stai pregando sia pieno di nebbia colorata. Scegli un colore che ti sembra attraente e calmante. A ogni inspirazione, immagina che la nebbia colorata penetri nel tuo corpo. Osserva come dapprima arriva al naso, poi nella parte posteriore della gola e quindi giù lungo le spalle, le braccia, fino alla punta delle dita. Vedila anche mentre si sposta giù fino alla zona toracica, mentre circola intorno alla spina dorsale fino ad arrivare in fondo allo stomaco. Fa' sì che il ritmo del respiro ti calmi e ti dia un senso di pace. Cerca di mantenere una posizione eretta, poiché una postura piegata o scomposta restringerebbe l'ampiezza del respiro.

Mentre chiudi gli occhi è probabile che tu cominci a vedere delle luci e immagini che ti balenino nella mente. Nel rilassarti, cerca di raffigurarti un'immagine mentale simile alla visualizzazione di un film. Con la fantasia, vedi una storia svolgersi davanti a te. Quella che cerchiamo di evocare è la ben nota storia natalizia dei tre re Magi. Dalla tradizione sappiamo che essi sono intelligenti e riflessivi. Nel loro Paese hanno visto qualcosa che li ha lasciati perplessi. È chiaro che l'esperienza da essi fatta deve essere stata stupenda, dato che l'impresa a cui si accingono adesso non è di quelle che si intraprendono alla leggera. Sii con loro mentre lasciano la famiglia. Immagina il dubbio e il disprezzo che devono affrontare. Benché considerati saggi, si mettono in viaggio senza un'idea precisa di dove dirigersi e in che modo saranno guidati. I rischi sono grandi e la ricompensa incerta, se mai ce ne sarà una. Verranno loro rivolte domande da parte di amici e familiari che chiedono loro di mettere da parte quei piani e sogni insensati e restare invece a casa, dove sono necessari e al sicuro.

Ciò nonostante, si mettono in viaggio. Che fede! Che coraggio!

Seguili mentre viaggiano faticosamente, portando i loro doni per un re che non hanno mai incontrato. Volevano offrire i doni migliori (cioè i propri talenti) a loro disposizione. Pensa per un momento ai tuoi doni e alla tua propria generosità di spirito. Secondo te, quali sono questi doni e quanto di essi sei disposto a offrire a Cristo?

Pensa quindi a quanto lentamente i re Magi hanno dovuto cercare il loro obiettivo. Senza la certezza agognata, devono essersi fermati a lungo e spesso per cercare di ottenere informazioni dalla gente che incontravano. Pochi avevano idea di che cosa significasse quella particolare stella nel cielo. I re Magi non prendevano l'autostrada, facile e veloce, e con il manto asfaltato. Prendevano invece una strada secondaria, scarsamente delineata e insicura. Anche il passo con il quale si muovevano veniva costantemente interrotto dalla necessità di controllare il cammino. Questi uomini viaggiavano spinti da una speranza più che da un'aspettativa, proprio come molti fanno oggi lungo il "cammino di fede"; proseguono inciampando, senza l'apparente certezza della dottrina offerta dallo stabilimento ecclesiastico di ieri. Vagano qua e là in solitudine, ben lontani dalle chiese formali o dai ministri riconosciuti. Fermati un momento a pregare per tali individui, persone che si sforzano di trovare la strada verso la fede sotto enormi nubi di incertezza e di dubbio. I re Magi non solo dovettero affrontare le calamità naturali lungo la via: vi erano anche alcuni che cercavano di impedir loro di raggiugere lo scopo che si erano prefissi. Concentra per un momento l'attenzione su Erode. Aveva certamente sentito parlare della stella e dei discorsi circa la nascita di un re sul proprio territorio. Erode intralciava la ricerca dei re Magi. Ci sono persone o situazioni che mi stanno ostacolando attivamente nel mio cammino di fede? Se è così, chi e che cosa sono e cosa posso fare – o che cosa dovrei fare – a riguardo?

Nonostante gli ostacoli, i re Magi raggiunsero il loro obiettivo e resero grazie per l'esistenza di Cristo e per la Sua presenza nella loro vita. Prenditi ora alcuni minuti per ringraziare i re Magi per la loro coraggiosa spedizione e prega che, proprio come costoro consegnarono al Cristo bambino i loro doni, nello stesso modo possa Gesù riversare su di te i Suoi doni.

ESERCIZIO 3

L'apparizione sulla spiaggia di Tiberiade (Gv 21, 1-12)

Dopo questo, Gesù si manifestò di nuovo ai discepoli sul lago di Tiberiade; ed ecco in qual modo. Erano insieme Simon Pietro, Tommaso detto Didimo e Natanaele di Cana in Galilea, i figli di Zebedeo e due altri dei suoi discepoli. Disse loro Simon Pietro: «Vado a pescare». Gli dicono gli altri: «Veniamo anche noi con te». Si mossero dunque ed entrarono nella barca, ma quella notte non presero nulla. Intanto, essendosi già fatto giorno, Gesù si presentò sulla riva: ma i discepoli non capirono che era lui. Allora Gesù chiese loro: «Figliuoli, non avete niente da mangiare?». Gli risposero: «No». Ed egli a essi: «Gettate la rete dalla parte destra della barca, e troverete». La gettarono dunque e, per la grande quantità di pesci, non la potevano più ritirare. Il discepolo da Gesù prediletto disse allora a Pietro: «È il Signore!». Simon Pietro, sentito che era il Signore, si cinse la veste – perché era nudo – e si buttò in mare. Intanto gli altri discepoli, tirando la rete piena di pesci, vennero con la barca perché non erano distanti dalla riva che un centinaio di metri circa.
Come dunque furono a terra, videro dei carboni accesi con del pesce sopra e del pane. Disse loro Gesù: «Portate qua dei pesci che avete preso ora». Simon Pietro allora salì sulla barca e tirò la rete piena di centocinquantatré pesci grossi. E, benché fossero tanti, la rete non si strappò. Disse loro Gesù: «Suvvia, mangiate». Ma nessuno dei discepoli osava domandargli: «Chi sei?» perché sapevano che era il Signore.

Recati in un luogo silenzioso e fai chiarezza nella tua mente. Usa uno degli esercizi per calmare la confusione interna. Prenditi tempo. Se ci sono distrazioni, prendine nota ma non te ne preoccupare troppo. Limitati a riportare l'attenzione sull'argomento a portata di mano. Quando sei pronto, leggi il passaggio di cui sopra. Comincia quindi a meditare con gli occhi chiusi.

Visualizza la scena. È mattina presto, allo spuntare dell'alba, e tu ti trovi su una barchetta con alcuni discepoli del Signore. Come pensi che si sentano? Ricorda che il loro Signore, la più grande speranza, è stato selvaggiamente strappato da loro solo alcuni giorni prima. È probabile che la scena sia circondata da un alone di tristezza. All'improvviso una figura appare sulla spiaggia. Per quanto tempo ha Egli osservato gli eventi? Per quanto tempo è stato afflitto dal dolore dei Suoi seguaci? Sua preoccupazione principale sono le speranze e le aspirazioni degli altri. Si preoccupa altrettanto per me? Resta con questo pensiero per tutto il tempo che ti sembra necessario. Ricorda che nella scena del Vangelo ci è voluto un po' di tempo affinché i discepoli riconoscessero chi fosse il personaggio sulla spiaggia. Chi – o che cosa – dice loro che si trattava del Salvatore? Nei momenti difficili della mia vita, ho riconosciuto Cristo sulla mia spiaggia? Ho percepito la profonda preoccupazione per le mie tribolazioni? Se la risposta è sì, come si è manifestata quella preoccupazione, e io L'ho ringraziato per questo? Se la risposta è no, avevo semplicemente chiuso gli occhi?

Resta per un po' con questa scena prima di terminare la meditazione.

3
PRENDI COSCIENZA DEL TUO VALORE

«Se non credi in te stesso, chi diavolo ci crederà?»

Tom Clancy

La maggior parte della gente ha sentito parlare di Thomas Edison. Fra molte altre cose, inventò la lampadina elettrica. Si racconta che fosse anche un maestro duro ma giusto e alcuni suoi giovani assistenti amavano raccontare una storiella che ti farà forse drizzare i capelli. Questo fu certamente l'effetto che ebbe sui suoi impiegati. Un giorno, mentre Edison stava apportando i ritocchi finali alla sua prima lampadina ed era quasi riuscito a produrne una perfetta, accadde qualcosa di significativo. La giornata di lavoro si stava avviando alla conclusione quando Edison chiamò uno dei più giovani aiutanti, che si trovava in fondo al laboratorio. Chiese al ragazzo di portare la lampadina quasi completata in un magazzino al piano di sopra, in modo da metterla al sicuro per la notte. Il giovane trasportò nervosamente il prezioso oggetto, passo dopo passo, fino al piano di sopra, ma proprio all'ultimo momento inciampò. La lampadina appena creata cadde per terra sotto gli occhi sbarrati degli assistenti tutt'intorno. Inutile dire che andò in mille pezzi. Questo significava che Edison e la sua squadra avrebbero dovuto lavorare altre 24 ore per costruirne un'altra.

Il giorno dopo, mentre si apprestavano a portare a termine la costruzione della nuova lampadina, rimasero di stucco quando Edison chiamò lo stesso giovane per affidare nuovamente la sua creazione alle sue mani malferme. Questa volta l'operazione di immagazzinaggio fu portata a termine con successo. Il gesto di Edison cambiò quasi sicuramente la vita del ragazzo. Gli diede sicuramente la percezione del proprio valore. Edison sapeva che qui si trattava di qualcosa che andava ben oltre la lampadina elettrica, poiché aveva la sensazione che il giovane assistente, come molti altri, credesse poco in se stesso e nel proprio valore. Col chiedergli di ripetere il tentativo, Edison gli dimostrò di non aver perso fiducia in lui. Facendo un gesto in certo qual modo caritatevole, Edison ridiede al ragazzo il senso del proprio valore.

Considera per un momento come si comporta Cristo con quelli vicino a lui, particolarmente con quelli che hanno poca fiducia in se stessi.

Maria Maddalena ne è un perfetto esempio. Tutti sapevano che era una peccatrice e certamente anche Cristo ne era al corrente. Maria stessa conosceva i suoi difetti, ma Cristo era determinato a darle un senso del proprio valore. Ognuno di noi ha bisogno di un mentore così, qualcuno che potrà ricostruirci e rivitalizzarci.

Ricordo la storia raccontata da un ragazzino che frequentava un collegio circa la sua prima visita all'infermeria della scuola. Il ragazzo era all'epoca molto giovane e fin dalla nascita aveva avuto una malformazione alla schiena. Sarebbe stato poco dire che era

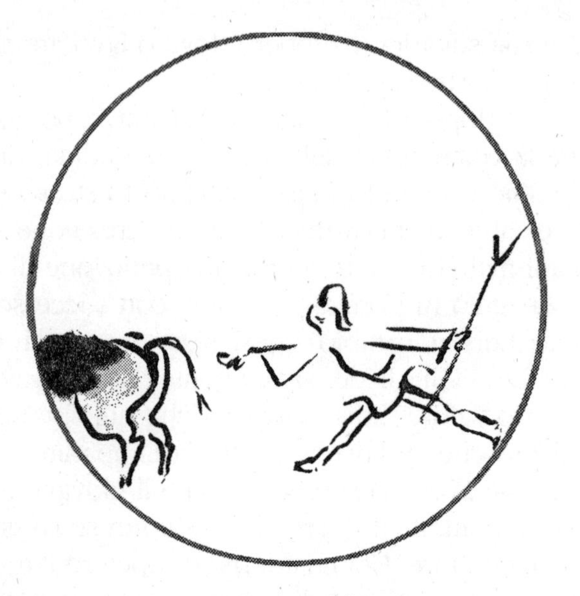

Scorgere il bue

consapevole della sua deformità. In occasione di quella prima visita, il dottore si rese conto della mancanza di fiducia in se stesso del ragazzo e gli disse: «Credi in Dio?». Alla risposta affermativa, il dottore disse: «Più credi in Dio, più credi in te stesso». Prese poi il rapporto medico del ragazzo e nella colonna relativa alle caratteristiche fisiche, scrisse: «Questo ragazzo ha una testa particolarmente ben formata». Le parole erano bellissime nella loro semplicità. Quando il ragazzo raccontò la storia molti anni dopo, disse che gli era stata impartita una lezione che non avrebbe mai dimenticato. Se credi in Dio e poni la tua attenzione sulla parte migliore di te, niente può sconfiggerti. Devi credere in te stesso perché, come dice Tom Clancy in uno dei suoi libri, «se non credi in te stesso, chi diavolo ci crederà?». Non solo devi credere in te stesso, ma devi anche prenderti cura di te stesso, perché non sai quando il mondo potrà aver bisogno di te o dei tuoi talenti. Per credere in te stesso devi prima scoprire chi sei, ma come puoi farlo? Riuscirai a scoprirlo prendendoti tempo per raggiungere l'autoconsapevolezza e per scoprire da dove vengono le tue pulsioni.

Fonti diverse suggeriscono che, parlando in generale, esistono due diversi tipi di individui. Il primo tipo riceve energia dall'attività e dall'interazione con gli altri. L'altro è più introspettivo, e prende più energia dal mondo interiore delle idee che non impegnandosi a interagire con la gente o in attività esterne. Così, in quasi tutti i casi, gli introversi e gli estroversi procedono prendendo energia da stimoli diversi. È raro che un individuo non aderisca a queste regole benché il caso di Gesù, essendo Dio, sia unico. Egli sembra combinare gli attributi sia degli introversi sia degli estroversi e risulta essere, in un certo senso, un contemplativo in azione, poiché è impossibile inserirlo in una categoria. Quando leggiamo il Vangelo, sembra che a volte Gesù sia al centro dell'attenzione, Colui intorno al quale ruota l'azione. Altre volte Egli risulta sorprendentemente solo e isolato, lontano da tutto. Sembra che Egli trovi sempre il tempo per la solitudine, poiché sa che Gli è necessaria. Restando solo, ha il tempo di concentrarSi su ciò che Egli è, sugli affari di Suo Padre. Seguendo l'esempio di Cristo, possiamo rimodellarci sul Suo comportamento, se desideriamo massimizzare il nostro potenziale.

Il mistico orientale Krishnanurti dice qualcosa di simile. Per scoprire chi sia veramente una persona, egli suggerisce che un tale compito può essere effettuato più facilmente nelle relazioni e nella comunicazione con altri. Calma e silenzio aiutano, ma non si deve sottovalutare l'importanza delle interazioni con altre persone. I loro commenti ci costringono a esaminarci, e le loro intuizioni sottolineano spesso aspetti di noi stessi che possiamo aver ignorato. Essi ci vedono da una prospettiva diversa e osservano il nostro comportamento da un punto di vista migliore. Sono una specie di specchio che riflette come noi ci proiettiamo verso il mondo.

Va qui tuttavia aggiunta una nota precauzionale. Tali commenti devono essere trattati con cautela, perché non sempre sono positivi o utili. Spesso ci arrecano disturbo, a volte in modo positivo, altre in modo distruttivo, come amava sottolineare De Mello. Egli racconta di un suo amico indiano che ogni mattina acquistava il giornale da un giornalaio scontroso. Questo venditore aveva l'abitudine di porgere il giornale accompagnandolo con un'osservazione sgarbata o con una critica. Gli amici gli chiesero perché un compratore dovesse andare da un tale venditore ed egli rispose che non avrebbe mai permesso che i commenti di altri – sia salutari sia ostili – determinassero il suo stato d'animo della giornata. In pratica, non dovremmo permettere alle azioni di altri, o ai loro commenti, di arrecarci eccessivo disturbo.

De Mello racconta una sua esperienza. Una volta, su un treno in India, aveva incontrato un padre col figlio. Il ragazzo aveva circa dodici anni e stava conversando col padre quando un controllore venne nello scompartimento privato che occupavano. Il controllore era molto sgarbato e chiese i loro biglietti in modo scortese. Quando il padre presentò due biglietti, l'ispettore si comportò in modo veramente rude. Accusò il padre di aver un biglietto per bambini mentre il ragazzo non sembrava rientrare in quella categoria di tariffa ridotta. La discussione andò avanti per alcuni minuti ma, nonostante la provocazione, il padre rimase calmo. Alla fine l'ispettore forò i biglietti e se ne andò di mala grazia. Appena fu uscito, il ragazzo cominciò a protestare col padre, lamentandosi della sgarbataggine e arroganza dell'ispettore, dicendo che non doveva passarla liscia per un tale comportamento. Si chiedeva come mai il padre avesse lasciato perdere senza reagire. La risposta del padre fu breve e semplice. «Ah, che Dio lo aiuti. Noi dobbiamo sopportare le sue stranezze solo per pochi minuti. Il pover'uomo deve sopportare se stesso per l'intera giornata.»

Non molti di noi possono rimanere indisturbati a prescindere da ciò che la vita ci pone di fronte. Il più piccolo commento negativo circa il nostro aspetto fisico, le nostre capacità o il nostro umore, può farci uscire di strada completamente. Nonostante sappiamo in fondo al cuore dove sono le nostre debolezze e i punti di forza, non ci vuole troppo per sgonfiare la nostra fiducia. Cerca di sapere chiaramente chi sei, con tutti i tuoi difetti.

Nel Vangelo, Cristo chiese ai suoi amici: «Chi dice la gente che io sia?». Non aveva bisogno di domandarlo. Lo sapeva già. La domanda fu posta per aiutare i discepoli. È probabile che noi, d'altro canto, non siamo così certi della nostra identità. Potrebbe piacerti provare l'esercizio di preghiera alla fine del capitolo che ti aiuterà a vederci più chiaramente, essendo il suo titolo *Chi sei?* Questo tipo di meditazione di preghiera è anche un esercizio di consapevolezza. Ti aiuta a osservare te stesso.

Dapprima, osservare te stesso e le tue reazioni a svariate situazioni può apparire artificioso e difficile. Col tempo e con la pratica, diventa naturale e facile. Provalo per un breve periodo.

Quando ero all'università, studiavamo il lavoro di gruppo, cioè il modo in cui le persone interagiscono. Ci veniva regolarmente dato da fare un esercizio che risultava molto utile. Dovevamo osservare quali persone si alzassero mentre erano in un bar. Questo metodo di studio del comportamento umano divenne per un certo tempo un'azione di riflesso. Osservavamo dei precisi schemi di comportamento che ben presto vennero facilmente identificati. Ci era di grande utilità il fatto che erano ripetuti molte volte durante la serata. Ciò aiutava a migliorare la nostra consapevolezza di ciò che succedeva intorno a noi. Significava inoltre che potevamo notare dei modi ricorrenti di comportamento, perfino i nostri.

Una volta notati tali schemi, diventava possibile l'idea di poterli cambiare. Allora fermati e guardati. Osserva come agisci e reagisci in un determinato momento. Puoi avere delle intuizioni attraverso l'auto-osservazione. Gesù fece proprio questo con i Suoi discepoli. A intervalli regolari li invitava a recarsi in un luogo tranquillo. Per questo tipo di consapevolezza è necessaria una certa solitudine.

L'esercizio proposto – se condotto con un atteggiamento di preghiera – può aiutarmi a concentrarmi e a rivelarmi il vero me stesso.

In Oriente si racconta la storia di un uomo che, essendo alla ricerca della verità, fece visita a un guru e gli chiese di dirgli la verità su di lui. Si sentì dire che, se voleva conoscere tutta la verità circa se stesso, doveva essere in possesso di una sola cosa: non, come aveva immaginato, una passione travolgente per la verità, ma piuttosto una totale disponibilità ad ammettere di poter essere in torto. Se, una volta che ci conosciamo, ci rendiamo conto di dover cambiare alcuni aspetti di noi stessi, dobbiamo essere pronti ad affrontare una certa quantità di sofferenza.

Leone Tolstoj disse che, quando si tratta di cambiare, ogni persona è simile all'altra perché tutti vogliono cambiare l'umanità, mentre non si è particolarmente desiderosi di cambiare se stessi.

Per darsi da fare per cambiare – e riuscirci – è necessario un certo numero di prerequisiti. Dobbiamo per prima cosa sapere che alcuni aspetti di noi stessi possono essere stati danneggiati. Una volta consapevoli di ciò, la possibilità di potervi porre rimedio si delinea all'orizzonte. Per prima cosa dobbiamo accertare quale area sia danneggiata prima di mettere in atto strategie per la sua ricrescita nel posto giusto. Tempo e condizioni devono essere adeguati. Andiamo sempre tanto di fretta che, prima di scoprire cosa vada riparato, abbiamo bisogno di un periodo di calma. Trovare il tempo di concentrarsi sul respiro permette al nostro spirito di mettersi al pari col resto di noi e così arriva la possibilità di un cambiamento. Dio vuol essere di aiuto. Ha però bisogno di un po' di assistenza da parte nostra. Se così non fosse, diventeremmo infantili e immaturi nella nostra pratica di preghiera. Non vogliamo diventare come un tizio che, come si racconta in Oriente, recatosi a un'assemblea religiosa, non appena entrò nella tenda dove si teneva l'incontro, proclamò ad alta voce di avere una tale fede in Dio da aver lasciato il suo cammello incustodito fuori della tenda. Gli fu allora detto: «Sciocco, torna subito fuori e lega il cammello, perché Dio non ha tempo di fare per noi ciò che noi stessi possiamo fare con facilità». Non vogliamo neppure diventare come un certo sant'uomo che aveva una grande fede nel fatto che Dio si prendesse cura di lui in ogni occasione. Un giorno si scatenò il cattivo tempo nella regione in cui viveva e la polizia locale andò in giro ad avvisare tutti gli abitanti di recarsi in un luogo più alto, perché era prevista un'alluvione. Il sant'uomo restò imperturbabile. Insistette per rimanere nella propria casa, convinto che Dio si sarebbe preso cura di lui indipendentemente dal tempo. Arrivarono le piogge e il livello dell'acqua salì. Vennero i pompieri per trasportare la gente in luoghi più sicuri, ma il sant'uomo restò nella sua casa. Era convintissimo che Dio si sarebbe preso cura di lui. Nonostante la sua fiducia, la pioggia continuò a cadere insistentemente. Le acque erano ormai salite al secondo piano in gran parte delle abitazioni della zona, e l'uomo era l'unico rimasto sul posto. Fu inviato infine un elicottero per prelevarlo dal tetto, poiché le acque erano arrivate fin là. L'uomo disse al pilota dell'elicottero che Dio si sarebbe certamente preso cura di lui poiché egli aveva una grandissima fede, così il pilota si allontanò per cercare altre persone disperse e bisognose di aiuto. Le acque inghiottirono infine la casa e il sant'uomo affogò. Quando arrivò ai cancelli del Paradiso, chiese perché Dio lo avesse abbandonato invece di prendersi cura di lui, nonostante la sua grande fede. Pare che Dio apparisse perplesso, non riuscendo a comprendere cosa fosse accaduto. Quindi gli disse: «Prima ti ho mandato la polizia, poi i vigili del fuoco, e infine un elicottero per salvarti». Talvolta abbiamo solo bisogno di senso comune e di darci da fare. Dobbiamo aiutare noi stessi e fare ciò di cui siamo capaci per risolvere un problema prima di abbandonarci alla misericordia divina.

Quando vogliamo aiutare noi stessi può darsi che scopriamo dei freni dentro di noi che ci "bloccano" in alcune aree della nostra vita. È auspicabile che gli schemi che hanno cominciato a emergere attraverso l'auto-osservazione contengano alcune caratteristiche positive, ma è anche molto probabile che rivelino pure degli aspetti che non sono di alcun aiuto. Le persone sagge cominceranno col chiedersi: «Dove sono bloccato? Quali aree della mia vita non hanno prodotto buoni frutti in questo ultimo anno? Che cosa mi "blocca"? Sono bloccato da vecchie regole e, se è così, che cosa può significare?». È difficile accettare l'idea di essere bloccati in modi diversi e le domande appena poste possono aiutarmi a compiere il passo successivo nella mia vita. Allora, in che modo potrei essere bloccato?

Alcuni anni fa, in Irlanda, ricordo di essere andato a visitare il luogo in cui era stato eretto un circo. Rimasi meravigliato nel vedere che parecchi elefanti aspettavano passivamente che accadesse qualcosa. Tutti gli elefanti – grandi e piccoli – avevano intorno alle zampe una catena attaccata a un palo infisso nel terreno. Uno o due elefanti erano molto piccoli e la catena li teneva facilmente legati ma, stranamente, gli elefanti più grandi avevano al piede una catena delle stesse dimensioni. Nel loro caso, era chiaro che avevano una forza più che sufficiente per sradicare il palo dal terreno, ma non lo facevano mai. Il domatore disse che tutti gli elefanti di cui si occupava erano incatenati in quel modo fin quasi dalla nascita. I loro ricordi si erano stabilizzati, per cui erano convinti che la catena li avrebbe trattenuti in quel luogo, e così era infatti. Col passare degli anni, tuttavia, il fisico degli elefanti si trasformava. Diventavano più grandi. Ora gli elefanti avrebbero potuto con grande facilità strappare le catene dal palo che li imprigionava, se avessero usato un minimo di forza. Tuttavia, a causa della forma mentale che si erano creati, e soprattutto per il fatto di aver lasciato che tale forma mentale mettesse radici, permettevano alle catene di limitare il loro orizzonte. In passato, a causa della loro immaturità, non erano stati in grado di liberarsi. Adesso, nonostante le nuove circostanze, non tentavano neppure di strappare le catene. Le vecchie regole – che in realtà non erano più valide – continuavano a tenerli incatenati.

Un altro fattore che può bloccarci è la paura. Anni fa, quando lavoravo in Africa, ebbi occasione di visitare una riserva di animali all'aperto. Uno degli animali presenti, che attirava molta attenzione, era un grosso serpente conosciuto col nome di pitone. Stava in una specie di pozzo abbastanza grande e tutt'intorno era stata posta una rete metallica per impedirne la fuga. Su un cartello c'era scritto che il serpente veniva nutrito tutti i giorni all'una di pomeriggio. Arrivai sul luogo poco prima del pasto e mi unii alla folla ansiosa di vedere il serpente messo in bella mostra. Allo scoccar dell'una il guardiano apparve con un coniglio vivo sotto il braccio. Lo lanciò al di sopra della rete ed esso atterrò proprio al centro della fossa, a circa due metri da dove il serpente era in attesa. Il rettile si erse immediatamente sulla coda, restando dritto come un bastone da passeggio. La sua testa e il grosso collo ondeggiavano da un lato all'altro in maniera ipnotizzante. Il povero coniglio, tremante dalla paura come una coppa di gelatina, restò immobile sotto quello sguardo. Proprio in quel momento notai un piccolo foro alla base della rete che circondava la fossa. Ammetto che l'apertura era piccolissima e non avrebbe permesso al grosso collo bitorzoluto del serpente di scivolare fuori, ma il coniglio, per quanto mi era dato da vedere, avrebbe potuto scappare se solo avesse tentato. Rimase invece al suo posto, inchiodato a terra dalla paura, tanto che dopo alcuni secondi la testa del serpente saettò verso il basso e fece del coniglio un sol boccone. Non sono sicuro che il coniglio avrebbe potuto fuggire, se avesse tentato, ma molti spettatori pensavano che il terrore gli aveva impedito perfino di prendere in considerazione l'idea. Lo stesso può accadere a noi.

Il terzo fattore che può bloccarci è il ricordo dei fallimenti passati. Una volta uno studioso americano del comportamento animale raccontò una storia di se stesso che illustrava bene questo punto. L'americano aveva portato un giorno il suo figlioletto a pescare e riuscirono a prendere una piccola trota. Il ragazzo era felice e insistette per mettere la preda in un secchio d'acqua per portarla a casa. L'uomo aveva con sé un contenitore in cui c'era un unico pesce, un piccolo ma robusto luccio. Racconta: «In un momento di follia, depositai la nuova preda nel secchio insieme al predatore. Entro pochi secondi si verificò l'inevitabile. Il luccio divorò la piccola trota». Inutile dire che il figlioletto ne fu sconvolto. Era così scosso che il padre dovette promettergli che il giorno dopo lo avrebbe portato di nuovo a pescare per catturare un altro pesce. Il giorno dopo andarono e presero un pesciolino. Il padre era deciso a far sì che questi non facesse la stessa fine del precedente. Cercò in casa, e nel garage trovò una lastra di vetro della misura giusta. Aspettò che il luccio si spostasse in un angolo del contenitore e quindi inserì la lastra di vetro al centro, facendone un divisorio. Lo spazio occupato dall'acqua venne così diviso in due metà distinte. Fece cadere quindi il pesciolino nella parte vuota del contenitore. Per un momento tutto restò tranquillo. Poi il luccio, vedendo che era arrivata una nuova preda, si slanciò in avanti per mangiarla. Sbatté il naso contro il divisorio di vetro. Restò apparentemente scosso e si ritirò per riflettere sulla sua sfortuna, prima di fare un secondo tentativo. Ma il divisorio intervenne di nuovo e il luccio si trovò ancora una volta col naso ammaccato. Per tutto il giorno il padre osservò il luccio che faceva di tutto per catturare il pesciolino, ma la lastra di vetro glielo impediva ogni volta. Verso il tramonto captò finalmente il messaggio. Il fallimento aveva imposto la sua legge. Il luccio smise di lanciarsi verso la possibile vittima poiché i suoi tentativi finivano sempre per procurargli un naso dolorante. Il figlioletto ne fu felice. Il padre, nel raccontare la storia, disse che il giorno dopo lasciò la lastra di vetro al suo posto e i tentativi del luccio di arrivare al pesciolino ben presto diminuirono. Al terzo giorno tali tentativi erano cessati del tutto. Il luccio aveva imparato bene – molto bene – la lezione. Aveva in qualche modo capito che non sarebbe mai riuscito a raggiungere l'altro lato del contenitore dove il pesciolino nuotava tutto felice. Quando il luccio desistette da ogni tentativo di passare da un lato all'altro, il padre decise di fare un esperimento. Rimosse il divisorio dal contenitore e aspettò col fiato sospeso. Nonostante la barriera non fosse più al suo posto, il luccio continuò a restare nella sua metà del contenitore, mentre il pesciolino restava nella propria. Non passarono mai nella metà dell'altro. Il luccio, avendo ripetutamente fallito nelle condizioni precedenti, non credeva più di poter riuscire a raggiungere il suo scopo. Il fallimento passato significava che non se la sentiva più di tentare ancora. Proprio come noi!

Anche noi, nel corso della nostra vita, abbiamo affrontato delusioni e fallimenti. La rottura di una relazione, la perdita di un lavoro, lo sbriciolamento della fiducia in noi stessi, fallimenti nello studio, una qualsiasi di queste situazioni può essere stato un fattore determinante. Se così è stato, la sensazione di trovarci in un stato di "blocco" può sembrarci familiare. In campo sportivo, gli allenatori dicono spesso che «se pensi di potercela fare, ce la farai; e se pensi di non potercela fare, non ce la farai» per cui in ciascun caso avrai avuto ragione.

Anthony De Mello era solito dire che molti di noi sono stati programmati al fallimento. Arrivava perfino a dire che probabilmente non vogliamo neppure riuscire a essere diversi. La prima volta che sentii queste parole pensai che un'idea simile fosse sbagliata. Solo un pazzo potrebbe credere che la gente non vuol avere successo. Poi cominciai a capire che non si tratta tanto di gente che non vuol riuscire quanto di gente che non tenta nemmeno perché lo spettro del fallimento o della sconfitta la spaventa al punto da dare via libera all'inerzia. È come se le persone non fossero assolutamente preparate a partecipare alla gara della vita. In un certo senso, essi si sconfiggono da soli. In termini religiosi, può darsi che il "potere delle tenebre" abbia fatto talmente presa su di essi che il pervenire alla "luce" sembra quasi impossibile.

Nelle storie del Vangelo, di tanto in tanto troviamo Gesù alle prese con gente che si trova nelle condizioni descritte sopra, che sembra cioè bloccata. Ciò che mi pare interessante è quello che Gesù faceva per controbilanciare la situazione. Egli sembrava sentire che una condizione di "blocco" è spesso associata al senso di colpa, e comprendeva bene che muoversi in un tale stato non è piacevole, è anzi pauroso. Quando qualcuno Gli chiedeva di aiutarlo, lo faceva. Anche quando amici degli interessati chiedevano a nome loro, Egli sovente rispondeva. Il potere veniva accordato. Se anche noi abbiamo il coraggio di chiedere con la stessa intensità la forza per andare avanti nella nostra vita, può darsi che la stessa grazia venga accordata anche a noi.

ESERCIZIO 1

Semplice consapevolezza del respiro

Qui l'obiettivo è solo fare una cosa alla volta nel modo più completo possibile. In questo caso cerchi di concentrarti sull'immissione ed emissione del respiro. Anche il tuo respiro può essere preghiera. All'inizio della Bibbia ci viene detto che Dio respirò nell'uomo il primo soffio di vita. In un certo senso ci imbeviamo di vita mentre respiriamo, perfino di notte, quando ne siamo inconsapevoli.

Come di consueto, sistemati in un luogo tranquillo e assumi una posizione adatta alla meditazione. Posizioni diverse vanno bene per individui diversi perciò, quando hai un po' di tempo, provane alcune per trovare quella giusta per te. Potresti preferire uno sgabello da preghiera, oppure sdraiarti per terra, o metterti seduto su una sedia dallo schienale rigido, come si usa in Occidente, o anche stare seduto per terra a gambe incrociate alla maniera dello yoga. Inizia con l'essere consapevole del tuo respiro. Non pensare ad altro. Mentre ti concentri, riporta ogni volta l'attenzione su ciò che stai facendo. Potrai venire distratto (e quasi certamente lo sarai) ma non disperare. Santa Teresa d'Avila era solita dire alle sue novizie che il tempo della preghiera è fatto principalmente di distrazioni ed è improbabile che a te – a meno che non sia molto fortunato – vengano risparmiati pensieri divaganti. Se e quando noti tali pensieri, con gentilezza riconduci te stesso all'attenzione. Resta concentrato sul conteggio dei respiri.

Per mantenere l'attenzione sullo schema della respirazione, trovo utile contare mentalmente a mano a mano che inspiro ed espiro. Questo sistema sembra funzionare anche per i gruppi con cui lavoro. Mentre i membri del gruppo inspirano lentamente, chiedo loro di contare lentamente e silenziosamente fino a quattro. Poi, quando devono espirare, chiedo loro di eseguire lo stesso conteggio da uno a quattro. Provalo anche tu: «Inspirare lentamente, due tre quattro, espirare lentamente, due, tre, quattro». Questo schema di respirazione viene ripetuto finché non si raggiunge un ritmo regolare che ti calma e ti stabilizza. Alcuni insegnanti orientali consigliano un conteggio molto più alto e nella pratica Zen il ritmo tipico sembra sia un conteggio fino a dieci. Ma per i gruppi con cui ho lavorato è stato sufficiente contare lentamente fino a quattro, e mi è parso che ciò funzionasse bene.

Molti mi dicono, ed è anche la mia opinione, che questo esercizio viene fatto meglio a occhi chiusi. In questo modo si riesce a eliminare il più possibile le distrazioni. Di tanto in tanto si trovano partecipanti riluttanti o che hanno paura di chiudere gli occhi. C'è spesso una ragione per questo, e può darsi che in seguito desiderino esplorare ed esaminarne la causa. Avendo a che fare con persone così, è meglio chiedere loro di non chiudere del tutto gli occhi, in modo da focalizzare il contorno della fiamma di una candela. Non costringerei mai nessuno a seguire ciecamente direttive che non sono utili, o che sembrano non essere giuste per lui o per lei. Bisogna usare solo i mezzi che apportano beneficio.

ESERCIZIO 2

Il guaritore

(Lc 6, 17-19)

Per prima cosa leggi questo brano del Vangelo di Luca:

> Poi, sceso con loro, si fermò in un ripiano dov'era gran folla dei Suoi discepoli e una moltitudine di popolo, venuto da tutta la Giudea, da Gerusalemme e dalle contrade marittime di Tiro e di Sidone, per ascoltarLo e per essere guariti dalle loro infermità. Coloro, infatti, che erano tormentati dagli spiriti impuri, venivano liberati, e tutta la folla cercava di toccarLo, perché da Lui usciva una virtù che guariva tutti.

Sant'Ignazio di Loyola incoraggiava la pratica di usare le storie del Vangelo per la preghiera. Alcuni suoi metodi non sono particolarmente difficili e puoi provarli anche tu. Limitati a chiudere gli occhi e lascia che Gesù riviva con te il fatto narrato. In un certo senso la storia è tua, il tuo Vangelo e la tua buona novella.

Comincia come al solito col sedere o stare sdraiato senza muoverti e, se possibile, tenendo gli occhi chiusi. Chiudi gli occhi di modo che la vista di ciò che accade intorno a te non sia fonte di distrazione.

Stai cercando di formare delle immagini nella tua testa o, come preferisco dire, nell'"occhio della mente", degli eventi che l'autore del Vangelo ci ha descritto. Quando chiudi gli occhi, è auspicabile tu riesca a vedere Gesù e a sentirti realmente con Lui. Ciò che è descritto non è solo un racconto storico. Non è semplicemente qualcosa che è accaduto a determinate persone in un particolare posto e in un preciso momento. Si tratta di qualcosa di più universale. Cristo è venuto per tutti. La Sua misericordia e il Suo amore sono per me reali oggi come lo erano per le persone nella storia del Vangelo.

Mentre stai seduto e raggiungi uno stato di calma, cerca – con l'immaginazione – di inserirti nella storia. È come se tu fossi al cinema e le luci si stessero spegnendo. Il sipario si alza e ti senti trasportato in un altro ambiente. Mettiti in azione. Lascia che la storia si svolga davanti a te.

Immagina te stesso ai piedi di una collina con altra gente intorno. Cerca di figurarti, dalla quantità di luce visibile, quanto sia vicina l'alba. A una certa distanza puoi intravedere la figura di Gesù mentre si inginocchia vicino a una roccia. È stato in questo luogo tutta la notte pregando il Padre ed è trapelata la notizia circa il luogo in cui si trova. È infatti pervenuta anche a te alcuni momenti fa. Lascia divagare la tua mente. Chi ti ha parlato di Gesù e di dove avrebbe pregato stanotte? Quando te l'hanno detto? Perché te l'hanno detto? Cosa si aspettavano che tu facessi dopo aver appreso questa notizia? Se speravano che tu ti recassi sul posto, che cosa si auguravano per te? Sono adesso qui con te?

Interrompi un momento per rivolgere un particolare ringraziamento a coloro che ti hanno condotto qui. Nei Vangeli, Filippo sembra avere il dono particolare di portare le persone a Gesù. Nella nostra vita, può darsi che abbiamo avuto la fortuna di avere un genitore o un parente che ci abbia guidato verso il Divino. Prega adesso per questa persona.

Quando ti senti pronto, ritorna col pensiero alla scena descritta. Ricorda che è mattina presto, e che Gesù è stato all'opera per l'intera nottata. Crediamo che abbia pregato per noi. Fermati di nuovo un momento. Per che cosa può aver pregato a nome mio? Che cosa avrei voluto che chiedesse per me in modo particolare? Il passaggio nel Vangelo ci dice che molti erano venuti quel mattino a chiedere la guarigione. Sono uno di costoro? Se è così, che tipo di guarigione andavo cercando? Che differenza farebbe nella mia vita se mi venisse accordata?

Permetti ora al tuo film di andare avanti. Vedi Gesù mentre si avvia giù per la montagna. Sembra stanco o distratto? Hanno alcuni già cominciato a molestarLo con le loro richieste? Ti sembra che il momento sia opportuno per avvicinarti a Lui? Adesso alza la testa. Sembra che percepisca che Lo stai aspettando. Cosa ancora più importante, sta sorridendo e ti chiama per nome mentre ti avvicini. Sembra che Egli, più ancora di te, sia grato per questa opportunità che si presenta ad ambedue di essere in intimità. Forse questo non ti è mai accaduto prima. Immagina cosa debba essere per Lui il voler davvero comunicare con te, ma di averne poche opportunità. Mentre ti posa le mani sulle spalle, la Sua pace, il Suo amore e la guarigione sembrano riversarsi in tutto il tuo essere. Osserva come il tuo spirito diventa più ampio, e prega affinché la tua anima si renda conto che qualcosa all'interno sta cambiando.

Viene detto nel Vangelo che coloro che, quella mattina, cambiarono direzione per essere vicini a Gesù, lo fecero perché avevano fede e fiducia che qualcosa di buono sarebbe stato fatto per loro. «Signore, io credo. Aiuta la mia mancanza di fede.» Chiedi, come san Tommaso, che la tua fragile fede possa essere rafforzata al punto di credere che l'azione salvatrice di Cristo può trasformare anche te. Oggi queste persone sono venute con delle richieste particolari. Alcuni erano zoppi e altri ciechi. Sono venuti perché erano disperati e sapevano di aver bisogno di qualcosa che andasse al di là di quello che potevano ottenere da soli. Intuisco anch'io la stessa cosa? Conosco ciò che sto disperatamente cercando e, cosa ancora più importante, credo veramente che Gesù farebbe di tutto per concedermelo? Se la risposta è sì, rallegrati. Se non sei sicuro, unisciti allora al dubbioso Tommaso e chiedi che la tua fede venga rafforzata.

Immagina ora di vedere le persone nella storia del Vangelo mentre se ne vanno, allontanandosi da quel luogo. Tuttavia non se ne vanno come erano venuti. La fede ha permesso che, per parecchi di loro, si verificasse qualcosa di miracoloso. Cerca di individuarli, mentre se ne tornano a casa. Se la tua immaginazione funziona bene, non ti sarà difficile scoprire chi sono. Il loro portamento li rende individuabili e, se così non è, ci sono altri segni che li tradiranno. Il semplice fatto che una moltitudine di gente curiosa e invidiosa li circonda mentre passano dovrebbe farti capire che qualcosa di magnifico è accaduto loro.

Prima di concludere la meditazione, rifletti per alcuni minuti e rendi grazie per ciò che hai sperimentato. Se non eri sicuro di ciò che avresti voluto fosse guarito, o se non eri sicuro che Gesù fosse disponibile a concederti quanto richiesto, chiedi che, nei prossimi giorni, la grandezza di ciò che ti è stato concesso diventi evidente.

Concludi con un Padre Nostro.

ESERCIZIO 3
Chi sei?

Qual è la risposta più rivelatrice che potresti dare alla domanda: «Chi sei?». Prova questo breve esercizio.

Inizia al modo orientale, concentrandoti sulla consapevolezza del ritmo del respiro. Si dice che l'atto della respirazione funga da ponte fra il noto e l'ignoto e io ho scoperto che diventare conscio della velocità e della profondità della mia respirazione porta con sé un particolare tipo di calma. Spesso la mia mente non vuol restare nel momento presente, che è l'unico a essere reale, ma preferisce divagare su eventi passati o sognare del futuro. In Oriente amano dire che l'arte di vivere significa che la vita può essere vissuta solo nel presente. Osservare il tuo respiro ti aiuta a esplorare non solo la realtà del corpo ma anche quella della mente. Quando rallenti l'attività e il tuo spirito comincia a rilassarsi, parte del materiale seppellito nel tuo inconscio comincia a emergere a livello conscio e a manifestarsi in vari modi, sia fisici sia mentali.

Inizia col trovare e sistemarti in una posizione comoda. Inspira ed espira profondamente e senti la parte superiore del tuo corpo riempirsi di aria. Ho scoperto che spesso è utile immaginare che la stanza in cui sto meditando sia piena di aria, colorata del colore che trovo più rilassante. Inspira l'aria attraverso le narici e raffiguratela mentre passa attraverso la laringe e giù nella gola. Continua a visualizzarla mentre scende per il collo e giù nella zona delle spalle e da qui fino alle braccia, facendosi lentamente strada fino alle dita. Mentre inspiri ed espiri lentamente, immagina l'area dello stomaco che si riempie di nebbia colorata. Fai attenzione a mano a mano che l'aria che inspiri comincia a circolare lentamente intorno alla colonna vertebrale fino ad arrivare in fondo allo stomaco. Se posi per un momento la mano sull'ombelico, dovresti essere in grado di sentire l'aria che arriva nel punto più profondo dell'addome.

Metti ora il dito sul polso e conta le pulsazioni. Sii consapevole della loro frequenza. Usala come guida via via che inspiri ed espiri lentamente contando fino a quattro. Mentre continui, ti renderai conto che la frequenza della respirazione ha rallentato, e questo è un bene. È auspicabile che la velocità sia diminuita, poiché una frequenza più lenta delle inspirazioni ed espirazioni produce spesso un effetto altamente calmante per la mente.

Comincia a riflettere tranquillamente sulla domanda: «Chi sono?».

• Quali sono le due parole che mi descrivono meglio?

• Quali talenti particolari ho a mia disposizione?

• Che uso sto facendo dei miei talenti?

• Come potrei usarli meglio in futuro?

• Ho un sogno circa ciò che vorrei fare nei prossimi anni?

• Se ho un tale sogno, cosa ho intenzione di fare per realizzarlo?

• Esistono degli aspetti di me stesso che mi guidano o stimolano verso la parte più produttiva di me stesso?

• Se sì, quali sono?

• Ho delle particolari croci da sopportare? Quali?

• C'è qualche possibilità di trasformare tali croci in benedizioni?

• Come potrei farlo?

• Ritorno ora indietro nella mia vita fino a momenti in cui ho percepito certe situazioni come crudeli, difficili, ingiuste.

• Ci sono state nella mia vita prove o afflizioni che mi hanno aiutato a dissotterrare potenzialità e scopi che non credevo di avere?

• Esistono aspetti nella mia vita familiare durante l'infanzia che hanno ancora un impatto sul mio rendimento attuale?

• Tale impatto è proficuo o nocivo?

• Ci sono cose in me che gli altri vedono e di cui non sono consapevole?

Quando hai finito, resta tranquillo per alcuni minuti e quindi ringrazia Dio per qualsiasi intuizione tu possa aver avuto.

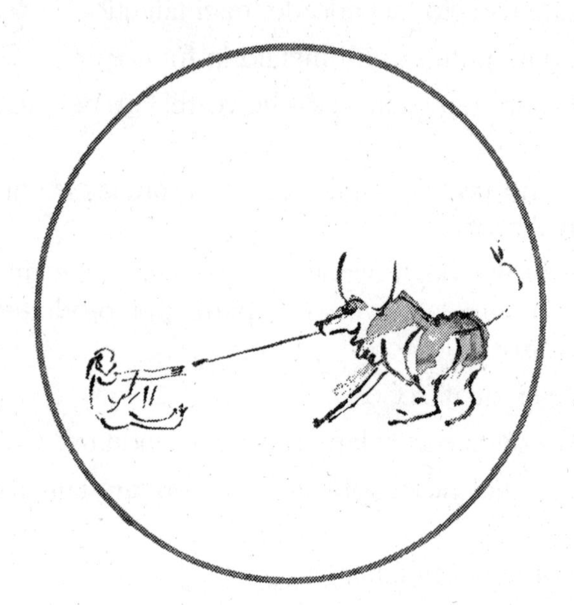

Catturare il bue

4
METTI A FUOCO

«Non sapere è male, non desiderare di sapere è peggio.»

Proverbio africano

«Una cosa importante che ho appreso negli anni è la differenza fra il prendere seriamente il proprio lavoro e prendere seriamente se stessi. La prima cosa è imperativa, la seconda disastrosa.»

Margot Fonteyn

Le calamità incontrate nel corso della vita possono essere apportatrici di crescita e di illuminazione. Trovarsi nell'occhio del ciclone non sempre conduce al disastro. Anthony De Mello, durante i suoi seminari e ritiri, amava sottolineare tale messaggio, ed era solito spiegare questo punto raccontando due storie.

La prima riguarda un uomo saggio che aveva un figlio di cui andava molto orgoglioso. Quando gli amici gli dicevano che doveva sempre contare le proprie benedizioni e ringraziare per quanto era fortunato, aveva una risposta pronta. Era solito dire che una persona assennata non dava mai niente per scontato e non presumeva mai che qualcosa di buono o di cattivo sarebbe avvenuto prima che l'evento si verificasse realmente. In realtà non sai mai se sei fortunato o no finché la storia non è finita, perché solo il risultato finale metterà davvero le cose nella giusta prospettiva.

Per illustrare questo punto, la storia prosegue raccontando che un giorno i servi del saggio vennero da lui di corsa. Spiegarono che il suo esuberante figliolo era uscito per tutta la giornata con un cavallo molto vivace. Inutile dire che il ragazzo non aveva chiesto il permesso e, sapendo quanto determinato fosse il giovane, prevedevano un disastro. Quando gli chiesero che cosa provava a proposito del comportamento del figlio, il saggio disse: «Forse è bene, forse è male. Chi lo sa?». Dopo qualche tempo il cavallo tornò – ma senza il cavaliere – e quando i servi andarono a vedere cosa era accaduto, trovarono che, durante la cavalcata, il ragazzo era stato disarcionato dal cavallo e si era rotto una gamba. I servi erano disperati e si lamentavano della sfortuna del loro padrone, mentre questi continuava a ripetere il suo solito mantra: «Forse è bene, forse è male, chi lo sa?». Dopo qualche giorno alcuni soldati della regione vennero a visitare la fattoria. Poiché il Paese si stava preparando alla guerra, volevano arruolare ogni giovane residente. Fu loro detto che il figlio di quella famiglia viveva là, ma stava al piano superiore, a letto, perché si era rotto una gamba. Non appena i soldati ebbero verificato il fatto e constatato che era vero, se ne andarono brontolando e dicendo che quel giovane adolescente non sarebbe stato per loro di alcuna utilità. Il vecchio saggio, sentendo la notizia, disse ai servi: «Vedete ora com'è difficile sapere se un avvenimento si rivelerà alla fine come buono o come cattivo. Ci vuole spesso del tempo prima di poter sapere se ciò che ci è accaduto è una benedizione o un maledizione».

Per illustrare ulteriormente questo punto, De Mello era solito raccontare un'altra storia orientale su di un uccello che ogni giorno cercava rifugio fra i rami disseccati di un albero al centro di una vasta pianura desertica. Un giorno un vortice d'aria sradicò l'albero, costringendo il povero uccellino a volare per centinaia di chilometri alla ricerca di un nuovo rifugio. Finalmente, dopo aver cercato a lungo, giunse a una foresta che conteneva molti alberi carichi di frutti. La morale della storia, spiegava De Mello, è che non puoi mai dire quando un disastro può risultare essere una strada verso nuove opportunità. Se l'albero disseccato fosse sopravvissuto, niente avrebbe convinto l'uccellino ad abbandonare la propria sicurezza e comodità. L'apparente catastrofe si rivelò, in realtà, il motivo che costrinse l'uccello a muoversi verso circostanze migliori.

Nel corso della nostra vita, è talvolta difficile giudicare se è più probabile che gli eventi che ci si presentano saranno apportatori di afflizioni o di opportunità di crescita. Sant'Ignazio suggeriva che il miglior modo per scoprire se tali eventi scaturiscono da uno spirito buono o cattivo è quello di prendersi di tanto in tanto del tempo per rivedere le cose che sono successe. Il filosofo danese Sören Kierkegaard ha consigliato qualcosa di molto simile quando ha detto: «La vita può essere compresa solo a ritroso». Sfortunatamente ciò può causare un problema poiché la maggior parte della vita deve essere vissuta guardando avanti, perciò dobbiamo creare artificialmente dei modi per controllare come progredisce la nostra relazione con Dio, senza menzionare il tentativo di individuare sistemi che possano far vedere se le prove che dobbiamo affrontare derivano da fonti benefiche o meno. Dovremmo sempre cercare di scoprire cosa c'è dietro ogni azione. Ha più significato di quanto non appaia?

Se siamo capaci di misurare la portata dell'effetto che un particolare avvenimento ha sul nostro essere interiore, siamo a buon punto per capire se restarne turbati o meno. Sarebbe utile avere una sorta di sistema col quale porre delle domande efficaci circa le circostanze della nostra vita in cui si manifestano buoni frutti o la grazia. Mentre ci misuriamo con questo compito, è facile fermarsi sulle domande sbagliate, o anche porre le domande giuste ma per una ragione sbagliata. La fragilità umana ci tenta ad avere orecchie che non sentono, occhi che non vedono o un cuore che non ha sentimenti, quando certe "verità personali" si delineano all'orizzonte.

Affiché questo esempio autorivelatore si manifesti è generalmente necessario creare un "tempo di sosta" o "tempo di riflessione" e molti ordini religiosi hanno cercato per anni di seguire questa pratica. Organizzano un ritiro annuale durante il quale cercano di guardarsi dentro. I membri si sforzano – almeno teoricamente – di diventare consapevoli della propria vulnerabilità ed esaminare le aree della loro vita in cui hanno fallito, come pure quelle in cui hanno avuto successo. Cercano di scoprire dove sono stati danneggiati, dove sono stati feriti, e chi è stato coinvolto nel problema.

Com'è facile immaginare, le persone raggiungono risultati variabili circa il successo che ottengono in tale compito, benché gran parte di esse ammettano che è utile sviluppare una certa abilità nell'auto-osservazione. Devi domandare: «Che cosa sta accadendo in generale, e che cosa sta accadendo dentro di me?». Quali effetti stanno avendo su di me avvenimenti, esperienze, conversazioni personali e simili, e quali stati d'animo vengono risvegliati da tali esperienze? Nel corso di questi ritiri, si crea una specie di mappa mentale che include le zone della testa, del cuore, dello spirito e dell'anima ed è utile mettersi in sintonia con questi sentimenti che albergano in queste zone, se sei alla ricerca della verità su te stesso. Fai anche attenzione a ciò che avviene nel tuo corpo, perché i nostri corpi si comportano come un contatore Geiger, fornendo informazioni sull'effetto che le diverse situazioni in cui ci veniamo a trovare hanno sulla nostra soddisfazione e sulla nostra salute. È come se qualcosa nel profondo cercasse di farci capire quali effetti le esperienze della vita abbiano su di noi. Mentre cerchiamo di costruire una buona relazione con Dio, può rivelarsi utile la capacità di ascoltare attentamente la storia delle nostre pene.

Se glielo permettiamo, ciò che affiora in superficie può essere una specie di "chiamata al risveglio", poiché ogni particolare che viene alla luce ha un significato. Riflettere sulle esperienze e sugli effetti che provocano può servire a chiarire ciò che potresti "sospettare", ma questo avviene solo se stiamo all'erta. Se ciò che viene in superficie ti allarma, è probabilmente vantaggioso perché potresti sentirti costretto a fare qualcosa in merito.

Se ci prendiamo del tempo per riflettere su quanto avviene dentro di noi, siamo talvolta colpiti dalla consapevolezza che, se vogliamo la guarigione o l'unità, dovremmo forse cambiare atteggiamento. Cominciamo col notare delle ferite, alcune delle quali pensavamo fossero guarite, ma adesso, nel guardarle più attentamente, ci rendiamo conto che non possono essere ulteriormente ignorate. Tagli o spaccature, che credevamo si fossero rimarginati totalmente, può darsi che invece si siano allargati. Si sono infettati di nuovo. Vengono esposti i punti vulnerabili, e i punti vulnerabili sono una realtà dolorosa.

Mi sono recentemente confrontato con un'idea che potrebbe essere di beneficio per coloro che stanno arrancando sul sentiero della scoperta di se stessi: veniva suggerito che il cercatore della verità creasse per se stesso una specie di "diario d'impatto". Descriverei tale giornale come un quaderno di appunti o un libro mastro su cui si scrive ciò che si nota circa l'attività interna dello "spirito". Comincia con l'osservare, dentro te stesso, le zone della testa, del cuore e dell'anima. Riesaminando gli ultimi mesi da te vissuti, chiediti quali "schemi" si presentano. Questi schemi, portano crescita o decadimento? Sono distruttivi o schiacciano i bottoni sbagliati dentro di te? Quali potrebbero essere, questi "bottoni sbagliati"? Perché ti causano dolore? Perché ti spingono a comportarti in modo dannoso verso te stesso? Cosa sta avvenendo dentro di te che interferisce col tuo ruolo di cercatore della verità? Queste domande possono aiutarti a rivedere e curare i punti in cui ti senti ferito.

Dopo esserci osservati e aver scoperto cosa sta accadendo dentro di noi, possiamo farci coraggio e guardare al di fuori. Pensa al tipo di cultura in cui vivi e cerca di accertare gli effetti che tale cultura ha su di te e sulla tua fede. È di aiuto o di ostacolo nel tuo tentativo di avvicinarti a Dio? Molti libri di sociologia ti diranno che la velocità di cambiamento all'interno di una società o di una cultura è drammaticamente aumentata negli ultimi anni. Per comprendere il cambiamento e per cercare di misurarne la portata dell'impatto sul tuo stile di vita e sui tuoi valori, torna indietro di 20 anni e pensa a com'era allora la vita. Non c'erano computer su ogni scrivania, o cellulari, o televisori satellitari in ogni casa. I portatili erano una innovazione sconosciuta e il lavoro part-time per gli studenti che andavano ancora a scuola non era qualcosa di abituale. Lo stile di vita aveva una struttura ben definita. L'autorità era chiaramente appannaggio di alcuni individui e istituzioni. Mi sembra che le leggi della famiglia e i regolamenti fossero decisamente ambigui.

L'autorità dei genitori è stata messa in discussione e perfino rifiutata, ma il fatto che una tale autorità esistesse, e ci aspettavamo che esistesse, era più o meno la norma. Anche le strutture scolastiche e la vita parrocchiale erano ugualmente ben definite. Chi aveva autorità poneva delle regole ed era sicuro di ciò che faceva. Chi veniva guidato sapeva esattamente cosa gli si chiedeva e capiva abbastanza bene quando superava i limiti.

Fai fare ora alla tua mente un passo avanti e pensa a oggi. Sembra che si sia stabilita una nuova filosofia del "fai come ti pare", che crea una tensione intollerabile in tutti gli interessati. Senza guide o linee di condotta, la gente si assume la responsabilità di comportarsi come pensa sia giusto. Questo è magnifico fino a un certo punto. Dà un senso di libertà. Aiuta l'individuo a sentirsi responsabile del proprio destino. C'è tuttavia un lato negativo. Essere giudice e giuria nei riguardi di te stesso conduce alla più grande confusione. Significa che siamo come lo studente che chiese al suo maestro: «Puoi indicarmi un segno che mi faccia capire di essere stato illuminato?». La risposta del maestro fu chiara: «Ti troverai a chiedere a te stesso: "Sono io a essere pazzo, o lo sono gli altri?"».

In questa nuova società le vecchie certezze spariscono. Senza mappe o istruzioni, ci viene posto dinanzi un nuovo compito. L'auto-osservazione diventa più importante che mai. Vengono richieste abilità nuove. Può essere d'aiuto osservare il proprio corpo e come reagisce a ciò che accade. Qualsiasi cosa riguardante il tuo "viaggio della vita" è registrato nel tuo corpo. Il dolore emotivo può manifestarsi nei modi più strani: le spalle diventano cadenti, il collo può far male, la carica energetica diventa debole e soffocata. Parte o tutto ciò può verificarsi in modo talmente lento che diventa estremamente difficile capire cosa sta succedendo. Nella preghiera, possiamo fare delle domande che ci aiutano nella ricerca. Dio mi sta dando delle croci da sopportare? Sarebbe possibile trasformare la croce che mi è stata data in dono o benedizione? Ricordo qualche momento nella mia vita in cui ciò che sperimentavo era difficile, crudele, ingiusto? Le afflizioni che sto vivendo sono dannose e distruttive oppure a una più attenta osservazione, sarebbe possibile, da queste difficoltà, estrarre dell'oro che a prima vista è invisibile? Per quanto riguarda la mia vita familiare ci sono degli aspetti che stanno avendo un impatto negativo su di me?

Fai divagare la mente su esperienze o situazioni che si sono verificate durante gli ultimi mesi. Fa' sì che ti insegnino qualcosa. È possibile che abbiamo avuto un'esperienza in grado di cambiarci la vita e che non ci siamo accorti di quanto fosse significativa? Ricorda che Socrate disse che «se viviamo senza analizzare la nostra vita, è inutile che la viviamo ed è in parte per questa ragione che riflettiamo su di essa e prendiamo nota delle esperienze che facciamo». Una delle ragioni per tenere un diario è che ci aiuta ad apprezzare sia l'esperienza sia il suo probabile significato. Riflettendo su ciò che mi accade, e sul perché accade, come pure osservando gli effetti che l'esperienza ha avuto su di me, può cambiare il modo in cui reagirò in futuro a simili situazioni. In Oriente si dice che, se la tua vista non è buona, è necessario che ti renda conto di aver bisogno degli occhiali. Se hai problemi di udito, ti perderai ciò che gli altri dicono. Se la tua visione del mondo non è chiara, anche le tue reazioni a ciò che accade saranno offuscate. Gran parte di noi, come dice un proverbio africano, pensa che la propria madre sia la miglior cuoca del mondo. È quasi impossibile che ci rendiamo conto di quanto la nostra visione del mondo sia prevenuta. Per avere una prospettiva migliore, dovremmo ascoltare i commenti e le opinioni di coloro che ci stanno intorno. Non essere come un'isola. Raccogli saggezza da qualsiasi fonte ti si presenti. Non vogliamo essere come quel missionario che andò a visitare un centro di ritiro per parlare dei luoghi e delle persone che aveva incontrato. Dopo la sua partenza, uno degli ascoltatori andò dal direttore del centro e gli chiese se viaggiare ampliava la mente. Il direttore, che era stato costretto a vivere al centro di ritiro col predicatore per tutto il tempo che questi aveva tenuto le sue conferenze, replicò che, in questo caso, le esperienze di cui si era parlato erano servite solo ad allargare la ristrettezza mentale del predicatore su una zona più vasta.

Può darsi che perfino gli incontri più sconvolgenti passino vicino a una persona addormentata lasciando una traccia insignificante. Non è mai facile sviluppare un senso di acuta consapevolezza. John Glenn, astronauta di fama mondiale, racconta come questo fatto gli divenne chiaro durante il programma di esplorazione spaziale a cui era stato sottoposto. Ai candidati del programma, durante lo stadio iniziale della selezione, veniva chiesto di parlare di se stessi. Dovevano dare venti risposte alla domanda: «Chi sono io?». Non molti riuscirono nell'impresa. Glenn ha detto che dapprima le risposte erano brillanti e allegre. Queste risposte venivano date, ma quasi sempre si riferivano a ciò che gli interessati avevano ottenuto o alla posizione raggiunta. Quando i concorrenti cercarono di scavare dentro se stessi per scoprire chi erano veramente, non fu affatto facile. Lo stesso accade a noi. È difficile conoscere la più vera e profonda parte di noi stessi.

Anthony De Mello ci ha fornito degli esercizi di meditazione e di fantasia per aiutarci in tale compito. Questi esercizi ci forniscono una specie di periscopio per l'autoconoscenza, di cui abbiamo bisogno per determinare la causa della variabilità del nostro stato d'animo. Uno dei benefici della meditazione è che aiuta colui che medita a vederci più chiaro, ad avere maggiore concentrazione e a essere più capace di destreggiarsi con i propri sentimenti, anche se questi sono dolorosi o confusi. Dà la possibilità di integrarsi, di essere cioè maggiormente in contatto con il tuo "io" profondo, nel luogo in cui Dio ti può raggiungere. Le pratiche della preghiera di fantasia, tanto care a De Mello, contengono una certa saggezza di cui è possibile tu non ti accorga. A volte ci aiutano a rimuginare su aspetti della nostra vita che troveremmo incredibilmente difficile capire se dovessimo affrontarli direttamente, senza l'aiuto dell'immaginazione. Il cardinale Basil Hume lo capì perfettamente. Credeva che Dio non sempre ci parla durante il tempo della preghiera, ma che talvolta ci fa giungere il Suo messaggio al di fuori del periodo ufficiale della preghiera.

Con questo credo voglia dire che lo sforzo che facciamo durante il tempo dedicato alla preghiera produce in qualche modo la possibilità di improvvisi lampi di conoscenza, ma questo tipo di illuminazione risulta di solito dopo aver portato a termine la preghiera formale.

Gli esercizi di preghiera di fantasia che facciamo toccano domande quali:

- Qual è la mia chiamata in questa vita?
- Sto vivendo in base a tale chiamata?
- Ho forse rifiutato la chiamata?
- Cosa sto realmente cercando?
- Di che cosa sono maggiormente orgoglioso nella mia vita?
- Chi o che cosa ho dimenticato?
- So perché ho dimenticato questi princìpi o queste persone?
- A che cosa do più valore nella vita?
- Da dove viene il mio potere?

- In che modo e quando esercito il mio potere?
- Voglio onestamente cambiare qualcosa nella mia vita o in me stesso?
- Di cosa ho bisogno per cambiare?

Domande così difficili, se prese di petto, sarebbero troppo dure da affrontare. La bellezza dell'esercizio di preghiera di fantasia consiste nel fatto che permette a certe sfide di affiorare alla superficie della consapevolezza senza spaventarci. Possiamo usare gli esercizi di fantasia per esplorare domande personali che sarebbero altrimenti troppo minacciose. Se vogliamo sapere che cosa c'è in noi che fa infuriare gli altri, è possibile avvicinarci all'argomento attraverso un esercizio di fantasia. Quando annotiamo le nostre scoperte, quanto scritto può aiutarci a decidere quali angoli ruvidi hanno bisogno di essere smussati.

Nel suo libro *The Screwtape Letters*, C.S. Lewis dà l'avvio a un dialogo fra un diavolo anziano e un suo giovane collega. Vuol dimostrare come il diavolo manipoli costantemente le cose in modo da far emergere il lato peggiore della natura umana. Vengono usati e sottolineati ogni sorta di stratagemmi; l'individuo preso di mira di solito non si accorge di quanto sta accadendo, perché è troppo immerso nell'azione. È proprio avendo in mente questa scena che teniamo il nostro "diario d'impatto", per annotare gli avvenimenti quotidiani che possono mostrarci le astuzie del diavolo.

Una tale introspezione fu grandemente caldeggiata da sant'Ignazio di Loyola, fondatore dell'ordine dei gesuiti, il quale guardava regolarmente all'interno della propria vita e dei propri stati d'animo, consigliando ai suoi seguaci di fare altrettanto. Fino a un certo punto, noi siamo un vero mistero per noi stessi e più riusciamo a scoprire tale mistero, più saremo in grado di rimuovere i blocchi che impediscono la nostra interazione con Dio. Per facilitare il costante controllo esercitato dalla sua coscienza, sant'Ignazio esaminava il proprio comportamento su base giornaliera e faceva attenzione a quanto le diverse azioni si urtassero con i suoi sentimenti più intimi. Suggeriva ai suoi seguaci di rimuginare su sentimenti, emozioni, reazioni e umori che via via si trovavano a sperimentare. Consigliava di farlo a intervalli regolari perché, se si rimanda, si permette la formazione di punti oscuri che distorcono la realtà.

Negli spogliatoi della nostra memoria, noi tutti ci tiriamo dietro una valigia piena di memorie individuali e un bagaglio emotivo. Nei momenti di preghiera riflessiva, è nostro compito far leva sul lucchetto arrugginito della valigia e rovistarvi dentro. La gente è riluttante a far ciò per due ragioni: primo, perché fa male e secondo, perché ci vuol tempo. Non siamo inclini a intraprendere un tale compito e la nostra riluttanza è comprensibile. Da qualche parte, giù giù in fondo, sentiamo che potrebbero affiorare delle verità intime che dovranno essere accettate, comprese e affrontate. Non solo, ma talvolta sembra che non sia neppure valsa la pena di aver fatto un duro lavoro di introspezione. La ricompensa sembra ben misera. Se ci aspettiamo delle intuizioni istantanee, è probabile che non si verifichino. Altre volte la saggezza che viene donata non risulta apparente, per lo meno non inizialmente, e comunque non quando ce l'aspettiamo. Potrebbe mostrarsi al di fuori del tempo di preghiera come, ad esempio, durante il periodo di tranquillità del ritiro annuale. In quell'oasi di solitudine, la persona può ricevere degli indizi circa dove si è verificata una crescita e dove è probabile che diventi evidente in futuro.

Uno dei doni che Gesù ci ha fatto è stato quello di averci aiutato a immaginare dei modi nuovi e rinvigorenti per progredire. Ha lasciato la gente in uno stato migliore di quello in cui l'aveva trovata. A questo riguardo, Gesù è stato unico.

Sembrerebbe che una parte del significato relativo alle nostre esperienze potrebbe essere raccolto a mano a mano che si verificano gli avvenimenti, mentre un'altra parte della saggezza può venir compresa chiaramente solo in retrospettiva. Certe volte sembra che il mondo si muova così velocemente che non siamo in grado di digerire tutte le informazioni che ci pervengono. Di tanto in tanto è necessario uno specchio che rifletta il significato di ciò che ci accade. Amici, colleghi e compagni possono fungere da specchio con i loro commenti. Nessuno cresce da solo. È necessario un dialogo di qualsiasi tipo. Indispensabile è un dialogo con gli altri, con te stesso o con Dio. Le osservazioni indipendenti da parte di terze persone possono dimostrarsi la chiave per capire le tue tendenze o i tuoi schemi. Gli altri inviano messaggi attraverso le parole, il linguaggio del loro corpo, i loro occhi. Potrai aumentare la consapevolezza di te stesso facendo attenzione a questi indizi. Durante il primo tirocinio da novizi gesuiti, usavamo avere delle sessioni in cui i nostri confratelli avevano l'opportunità di sottolineare quali delle nostre abitudini davano loro molto fastidio. Era doloroso ma benefico quasi per tutti. Ricordo solo uno studente che fece eccezione. Era stato detto di lui: «Accetta di buon grado le correzioni, ma non le prende sul serio». C'era qui poca speranza di cambiamento!

ESERCIZIO 1

Inizio

Recati in un luogo tranquillo e mettiti seduto. Assicurati che la sedia abbia uno schienale diritto e, se lo reputi utile, fai uso di una musica rilassante come sottofondo. Se lavori con un gruppo, controlla la musica in precedenza per assicurarti che non sia rumorosa o che non provochi disturbo. Prima di iniziare la meditazione, fa' uso di uno degli esercizi preparatori già citati in precedenza. Concentrati sul respiro, sulla posizione, o sulle sensazioni di ciascuna parte del tuo corpo. Se eviti questa prima fase calmante, probabilmente non riuscirai a sistemarti in modo soddisfacente, né potrai venire totalmente assorbito dalla meditazione, e questo non dovrà sorprenderti.

Se e quando cominciano a verificarsi delle distrazioni, forma un'immagine con la tua fantasia. Immagina di aver davanti un vasetto da marmellata pieno di acqua e di tanti dischetti colorati. Considera questi dischetti come le tue distrazioni. Continuando a usare l'immaginazione, inclina il vasetto da un lato e osserva le distrazioni che escono fuori del contenitore, mentre ripeti a te stesso che le distrazioni stanno tranquillamente scivolando fuori. Adesso sei quasi pronto a cominciare.

Ho detto che uno dei modi migliori per cominciare una sessione di meditazione è quello di iniziare con un esercizio sul respiro. Ricordarsi di respirare o fare attenzione al ritmo del respiro può sembrare una strana istruzione. Tuttavia in Oriente insegnano che il respiro è il tuo più grande amico. Iniziano da qui perché sanno che una tecnica di respirazione ben bilanciata porta con sé un contegno rilassato. Alcune istruzioni dicono che focalizzare il proprio respiro è l'unica tecnica di cui hai bisogno per meditare bene e, mentre questa nozione può essere un po' troppo semplicistica, c'è in essa tuttavia un granello di verità. Un flusso regolare di aria che entra e che esce produce infatti una calma interiore.

Mentre inspiri, senti l'aria fresca mentre tocca le narici e si fa strada giù giù fino alla parte più interna del tuo essere. Mentre espiri, fissa l'attenzione sull'aria che torna indietro attraverso l'intero tuo essere. Nota ogni cambiamento nella quantità e qualità del tuo modo di respirare.

Talvolta il tuo respiro potrà essere breve e superficiale, altre volte lungo e profondo. Durante questo esercizio per principianti, il tuo scopo deve essere quello di osservare lo schema del respiro senza cercare di alternarne il passo o il ritmo. Quando ti impegni in questa pratica, noterai che i tuoi pensieri divagano. Se ti sembra che le distrazioni prendano piede ogni volta, eliminale gentilmente riportando la consapevolezza sul respiro. Non forzare niente ma, ogni volta che ti senti alla deriva in un mare di distrazioni, riporta dolcemente i pensieri alla respirazione.

Risulta talvolta utile fare una sorta di commento mentre fai l'esercizio. Parla a te stesso seguendo il ritmo del respiro e dì: «Adesso sto inspirando, adesso sto espirando». Dopo un po' noterai che il ritmo del respiro è in qualche modo rallentato.

Se sei impegnato a meditare nel corso di un seminario di fine settimana, il cambiamento del ritmo sarà certamente più evidente. Tutto sembra rallentare. Con un po' di pratica, la consapevolezza del tuo respiro può sembrarti più evidente. Puoi fare tale sercizio più volte durante la giornata. Se ti senti improvvisamente preoccupato o irritato, puoi chiudere gli occhi per un momento e focalizzare i tuoi pensieri. È sorprendente come perfino le emozioni spiacevoli possano sparire velocemente se permetti loro di venire eliminate attraverso il respiro. Dopo circa dieci minuti concludi l'esercizio.

ESERCIZIO 2

Un pellegrinaggio

Quasi ogni giorno viviamo delle esperienze, degli incontri con altre persone, seguiti spesso da sogni notturni. Alcuni di questi sogni ed esperienze passano quasi inosservati mentre altri hanno l'effetto opposto, cioè lasciano un marchio indelebile. Sarebbe giusto dire che molto di quanto ci accade si verifica fra questi due estremi, o non si fissa assolutamente nella mente, o non è possibile dimenticarlo completamente. Se prendiamo tempo per riflettere sulle cose che accadono nella realtà, per non parlare dei sogni, vediamo che spesso sono un tesoro di rivelazioni. Possono essere perfino spunti per la meditazione.

Ecco un esempio. Io e un gruppo di amici abbiamo recentemente fatto un pellegrinaggio nella parte settentrionale della Spagna. Era nostro scopo percorrere a piedi l'intera strada dei pellegrini fino a Santiago di Compostela. Per gran parte dei giorni godemmo della compagnia di altre persone che facevano lo stesso percorso. Quasi tutti avevano una storia da raccontare o un sogno da condividere. Parecchi dei nostri compagni di viaggio avevano con sé ciò che chiamerei un "diario dei sogni", quadernetti su cui a mano a mano registravano i propri sogni. In questo modo sentivano di essere impegnati a conoscersi meglio. Quando presero parte del materiale raccolto in questi diari e lo usarono per la meditazione, videro che i risultati erano altamente illuminanti.

I nostri compagni non si vergognavano di dare indicazioni e cenni circa la migliore utilizzazione dei diari, e i loro commenti possono risultare utili anche per te, se vuoi provare tale esercizio. Tutti sappiamo che i sogni hanno la tendenza a dissolversi velocemente, perciò tieni carta e penna vicino al letto e, non appena ti svegli, passa alcuni minuti tranquillamente a letto con gli occhi chiusi, cercando di ricordare tutto ciò che puoi. Poi apri gli occhi e affida alla carta ciò che ricordi. Richiama alla mente le immagini, la sequenza, i personaggi e l'ambiente per quanto ti è possibile e annota tutto. Alcuni nostri compagni di viaggio ci dissero che davano un titolo ai loro sogni, titolo che più tardi si rivelava spesso utile e rivelatore. Intraprendi anche tu un nuovo corso, ripensando ai sogni raccolti dopo circa una settimana dall'aver scritto i vari punti. Vedi se scopri alcuni schemi, ripetizioni o argomenti che ti disturbano. In un certo senso, il tuo quaderno di appunti ti aiuterà a tenere uno specchio davanti a te al fine di scoprire il tuo io "ombra" al lavoro.

Che aspetto ha questo io "ombra" e che cosa fa? In quali situazioni e con quali persone è più probabile che si manifesti? Quando è più incontrollabile? Ha la tendenza a unirsi a un altro tratto della tua personalità per causare disturbo? Queste domande ti aiuteranno a capire che cosa alimenta la parte migliore o quella peggiore di quell'io "ombra". Lavora con esso – non contro di esso – e in seguito la parte migliore di te stesso emergerà.

Lavorare con i propri sogni non è il solo modo per aumentare la conoscenza e la comprensione di se stessi. Durante il pellegrinaggio scoprimmo anche che era utile condividere profonde conversazioni. Per iniziare tali conversazioni, gli estranei si chiedevano scambievolmente da dove venivano e la ragione per la quale avevano intrapreso questo viaggio. Il secondo giorno si unì a noi un anziano signore, che sembrava aver poche probabilità di completare il pellegrinaggio. Oltre a essere vecchio e fragile, sembrava anche stanco. Tuttavia qualcosa sembrava bruciare dentro di lui e, quando ci raccontò la sua storia, lo scopo della sua camminata divenne chiaro. Circa un anno prima sua moglie era morta di cancro. Questo lo aveva devastato e – come ci raccontò – cominciò a chiudersi in se stesso. Amici e familiari cercarono di sollevarlo dalla profonda tristezza, ma senza successo. Alla fine un'anziana suora suggerì che avrebbe potuto intraprendere qualcosa di meritevole in memoria di sua moglie. Lentamente cominciò a prendere forma nella sua mente l'idea di raccogliere fondi per la ricerca sulla particolare forma di cancro di cui aveva sofferto sua moglie. Ne fu subito entusiasta e cominciò a fare progetti. Quando gli amici videro che stava seriamente considerando l'idea di fare un pellegrinaggio a piedi che sarebbe durato non meno di un mese, si preoccuparono notevolmente e cercarono in tutti i modi di fermarlo. Tuttavia il vecchio non si lasciò scoraggiare, perché adesso aveva uno scopo che lo incitava ad andare avanti. Quando l'incontrammo, aveva già realizzato più di due terzi del suo sogno. Aveva inoltre raccolto una considerevole somma di denaro per la ricerca sulla malattia della moglie.

Dunque, mettiti tranquillo e sistemati in posizione. Comincia a inspirare aria fresca e inviala fino in fondo allo stomaco. Fai quindi uscire l'aria stantia dal tuo interno durante l'espirazione e osserva come la spossatezza cominci a diminuire. Sii consapevole del ritmo naturale del tuo respiro a mano a mano che si fa strada verso l'interno e verso l'esterno. Nota se il tuo corpo starebbe più comodo se ti stirassi un po' o se sbadigliassi e, se così è, fallo pure.

Immagina te stesso che intraprendi un pellegrinaggio a piedi simile a quello che ho sopra descritto. Sai di dover camminare ancora per delle ore prima che scenda la notte e il vecchio da me menzionato si è messo a camminare vicino a te. Comincia a raccontarti di sua moglie, del suo matrimonio, della morte della moglie, del suo persistente scivolare nell'apatia. Ti sei mai trovato anche tu in quella specie di buco nero? Il vecchio ti racconta di come gli amici e i familiari lo abbiano spinto a rimettersi in piedi. Uno di loro gli mostrò la direzione e gli fornì ispirazione in un momento in cui non aveva energia o vivacità alcuna che lo motivasse. Prega affinché, se anche tu ti trovassi in una situazione simile, i tuoi amici possano dimostrarsi altrettanto pieni di energia ed efficienti nei tuoi riguardi.

ESERCIZIO 3

Un servizio di riconciliazione basato sulla natura

Per fare questo esercizio, siedi tranquillamente tenendo la testa ben eretta. Raddrizza la schiena e cerca di raggiungere uno stato di calma attraverso una respirazione lenta e regolare. Metti una mano sull'addome per sentire la profondità dell'inspirazione quando raggiunge il fondo dello stomaco. Inspira attraverso il naso ed espira attraverso la bocca, emettendo un suono sibilante simile a quello prodotto dal vento, mentre fai gentilmente uscire l'aria. Resta rilassato e concentrati sul rumore del tuo respiro a mano a mano che raggiungi uno stato di sempre maggior rilassamento.

Immagina ora te stesso in un bel posto all'aperto. La natura ha molto da insegnarci e piante e animali ci danno spesso utili segnali sia della presenza di Dio sia del Suo amore perché, proprio come noi, anch'essi hanno bisogno di sentire la carezza dei raggi della luce divina. Forse in questo momento devo permettere all'amore di Dio di accarezzarmi al fine di sperimentare la Sua generosità nella mia vita.

Quando inizio questo esercizio, immagino di cominciare a camminare qua e là nel luogo designato, osservando varie cose della natura a mano a mano che le vedo.

Per prima cosa potrei scorgere del vischio. Noto come riesce a mettere radici nei posti più impensati e come è in grado di attaccarsi a qualsiasi cosa disponibile. Mi fermo un momento per chiedere a me stesso se anch'io mi aggrappo a vecchie certezze o ad altre persone, invece di dirigere fiduciosamente il passo verso il futuro.

Potrei quindi scorgere uno scoiattolo. Esso mette via la maggior parte di ciò che trova. Metto via anch'io, in maniera simile, le ferite del passato invece di lasciarle andare? Resto attaccato al cattivo sapore dell'amarezza, non volendo liberarmene per paura di dimenticare chi ha permesso a un tale sentimento di albergare dentro di me?

Mentre continuo a camminare, con la fantasia immagino di imbattermi in un cardo: a prima vista appare guarnito di bei fiori viola e foglie verdi, ma ha anche delle spine. Sono forse anch'io un po' come un cardo, soffice e vulnerabile all'interno ma con l'aspetto esterno, quello cioè che mostro al mondo, pieno di spine? Quanto difficile trovano gli altri avere a che fare con me quando permetto a me stesso di mostrare un involucro di quel colore? Che tipo di perdono è richiesto da parte mia per smussare quegli aculei? Chi dovrei precisamente perdonare per rendere le spine meno pungenti?

La prossima cosa che mi appare davanti è un soffione. È bello e piacevole all'esterno, ma l'interno è amaro e velenoso. Può darsi che anch'io sia freddo, velenoso e indifferente nel mio atteggiamento verso gli altri?

Nel giardino della natura il buono e il cattivo sono continuamente mischiati. Non ci vorrà molto prima che le ortiche alzino la loro brutta testa. Note soprattutto per le loro punture, mi chiedo se anch'io pungo per mezzo del sarcasmo, della rabbia e dell'intolleranza.

Sollevo adesso lo sguardo dal terreno. In alto, gli uccelli volano avanti e indietro. Osservo una gazza col suo bel colore pezzato, ma il piacere è diminuito dal suo continuo gracchiare rumoroso. Non tace mai. Sono anch'io un po' così, emetto anch'io continuamente dei suoni? Mi piace chiacchierare e spettegolare? Le mie chiacchiere imprudenti hanno forse ferito gli altri e danneggiato il loro carattere?

Poco lontano si fa vedere uno storno. Lo si può sentire prima ancora di vederlo. Altri uccelli sono diffidenti e lo evitano. Sanno per amara esperienza che esso raramente permette di riposare o rende contenti quelli che gli stanno vicino. Passo io gran parte del mio tempo parlando senza mai ascoltare? Mentre prego, do la stura a un flusso continuo di preghiere senza permettere a Gesù di parlare al mio cuore?

Due ultimi uccelli mi appaiono dinanzi. Potrebbe trattarsi di un fagiano che gironzola là intorno, se la stagione è quella giusta. Orgoglioso e con la testa ben eretta, sembra ignaro di ogni pericolo.

Vedo infine un pettirosso. Sta al suo posto, solitario. Sono possessivo, oppure tengo il mio ministero strettamente sotto controllo, rendendolo zona proibita per coloro che vorrebbero essere di aiuto? Termina con l'offrire una preghiera di ringraziamento per gli splendidi doni della natura intorno a te.

ESERCIZIO 4

"Figure Andrea"

Sistemati comodamente, a occhi chiusi, e cerca di rilassarti. Può aiutarti l'immaginare che, mentre inspiri aria nel tuo corpo, attrai lo Spirito di Dio dentro di te. Questo potrebbe ispirarti.

Rendi questa esperienza più reale contando mentalmente mentre respiri. Dì a te stesso: «Adesso inspiro, due, tre, quattro, ora espiro, due, tre, quattro». Alternativamente, puoi dire a te stesso: «Inspirare Cristo, espirare preoccupazione», oppure «Inspirare bontà», trattenendo il respiro per quattro o cinque secondi prima di dire: «Espirare preoccupazione», mentre fai uscire tutta l'aria stantia dal tuo corpo.

Durante l'esecuzione di questo esercizio, sii consapevole dell'aria che passa attraverso le narici, riempiendo i polmoni; sii quindi consapevole di quella stessa aria – la cui benefica calma ha portato a termine il suo compito – mentre esce attraverso le labbra. Se provi questo esercizio per un po' di tempo, ti aiuterà a concentrare l'attenzione solo sul respiro.

Dopo aver lavorato per un po' su questo esercizio di respirazione, dovresti cominciare a notare che il tuo respiro è diventato molto più lento di prima. Durante i ritiri e nei seminari di fine settimana, ho osservato che i partecipanti notano come il respiro cominci a cambiare il proprio ritmo diventando più tranquillo e lento, il che risulta in una forma mentale più rilassata e pacifica. Hai preparato adesso il terreno per l'esercizio di fantasia che segue e, quando sei pronto, inizialo.

Durante il pellegrinaggio a piedi a Santiago di Compostela, i pellegrini pregavano ogni giorno durante il cammino. Non so degli altri, ma ho scoperto che io pregavo spesso facendo riferimento alle storie che i compagni di viaggio raccontavano mentre camminavano con noi. Una giovane pellegrina proveniva da una città tedesca che vanta una bella cattedrale. Con nostra grande sorpresa, la ragazza disse di non esserci mai entrata. Non era infatti mai entrata per anni in nessun luogo di culto.

Quando era più giovane, i suoi genitori avevano l'abitudine di dirle esattamente che cosa doveva fare e che cosa no. Nel crescere, questa abitudine le era apparsa sempre più fastidiosa. Aveva perciò eliminato qualsiasi cosa essi le avessero detto, inclusi i benefici provenienti dall'avere una proficua vita di fede. Si tenne lontana da cappelle, templi o altari di qualsiasi tipo. «Ma allora», le chiesi, «che cosa ti ha portata verso questa esperienza del pellegrinaggio?»

Rispose: «È stata un'amica che ha visto quanto fossi infelice nella relazione che stavo vivendo e che si è preoccupata abbastanza per me da consigliarmi di prendermi del tempo per scoprire cosa volevo dalla vita. È cristiana e so che prega spesso, per cui ho pensato di provare anch'io, ed eccomi qua».

Prendiamo tempo per pensare a persone come quest'amica senza nome. Le chiamo "Figure Andrea". Fra i discepoli di Cristo, Andrea sembra avere la speciale capacità di indirizzare gli altri verso Cristo e quindi tornarsene nell'ombra. Guardando alla mia vita passata, divento consapevole delle persone che mi hanno indirizzato nella direzione giusta, in momenti diversi e difficili. Mentre le ricordo, prego per loro e le ringrazio.

Se fai questo esercizio insieme a un gruppo, chiedi ai partecipanti di munirsi di un foglio di carta e annotare ogni "Figura Andrea" di cui si ricordano.

È talvolta utile ai membri ascoltare attentamente e condividere esperienze con gli altri componenti del gruppo, nella misura in cui se ne sentono capaci.

ESERCIZIO 5

Cristo sperduto nel tempio

Se sei alla guida di un gruppo di preghiera, potresti servirti della storia del Vangelo che uso anch'io, se conosci bene la scena e hai un'idea generale di dove il racconto conduce. Procedi lentamente. Fa' sì che ogni frase della storia lasci il suo segno. A mano a mano che l'azione si svolge, vengono presentate delle immagini. Lascia ai partecipanti il tempo di formare le immagini nella loro mente. In ogni storia del Vangelo, Gesù è la figura su cui più spesso vogliamo fermare l'attenzione, e una brava guida cerca solitamente di presentare la storia del Vangelo al presente in modo che produca un grosso impatto. Alla fine si dà anche tempo ai partecipanti di restare con Gesù. Concedi anche tu questo tempo. Non avere fretta.

Come regola generale, è utile ricordare che una meditazione sul Vangelo condotta bene si compone di diverse parti. Per prima cosa, assumi una buona postura, sia essa a sedere, in ginocchio o supina.

Guida quindi il gruppo verso la tranquillità (o per lo meno cerca di farlo!) per mezzo di uno degli esercizi preparatori. Quello che io uso di solito, come è probabile che abbiate notato, consiste nell'osservare il ritmo del respiro. Puoi comunque usare anche uno degli altri esercizi di consapevolezza che ho descritto in varie parti del presente libro.

Il terzo elemento è la descrizione della storia o dell'accaduto. Attraverso una storia ben raccontata, l'ascoltatore vede, sente, tocca e percepisce gli eventi a mano a mano che si svolgono e sviluppano. Tu – come narratore – devi incoraggiare i membri del gruppo a sentire che sono realmente presenti all'evento che viene descritto. È una grande consolazione sapere che il Signore sarà con te mentre ti accingi a portare avanti il tuo compito.

Alla fine della narrazione della storia del Vangelo, dai tempo ai presenti affinché possano restare con Gesù e cercare di comprendere i doni che sono stati dati loro. Hanno bisogno di tempo per ringraziare e, se necessario, chiedere soccorso.

Apri adesso il Vangelo e cerca la storia dell'apparizione di Gesù fanciullo nel tempio. Leggi attentamente la storia a te stesso e vedi quali sono i punti che ne emergono che potrebbero offrire utili spunti di riflessione ai partecipanti.

ESERCIZIO 6

Il cimitero

Durante la meditazione, la finestra sulla consapevolezza è spesso un po' aperta, e possiamo gettare uno sguardo su ciò che sta sotto la superficie, sulle cose che abbiamo soppresso o spinto verso il fondo. Alcuni descrivono tali momenti paragonandoli all'osservare un cigno che nuota in un lago. In superficie sembra che lo spostamento venga affettuato con poco o addirittura senza alcuno sforzo. Al di sotto, tuttavia, c'è un movimento vorticoso. A volte l'argomento che diventa chiaro durante o dopo la meditazione può prendere la forma di simboli, storie o immagini. Se pensiamo a ciò che emerge, può spesso spiegare molti degli altrimenti inspiegabili avvenimenti che si verificano nella nostra vita. Possiamo capire meglio perché ci sentiamo depressi, ossessionati, distruttivi o evasivi, o semplicemente immobilizzati dalla paura, in certe situazioni che incontriamo.

Trovati adesso un luogo adatto alla preghiera, potrebbe trattarsi di un posto che hai già santificato per averci pregato in precedenza. Sii certo di sentirti al sicuro in tale luogo e quindi sistemati, cercando di restare fermo. Può darsi che non sia facile. La vita moderna ha stabilito che viviamo a un ritmo che molti trovano tutt'altro che adatto alla riflessione. Tuttavia dobbiamo fare del nostro meglio per raggiungere la tranquillità.

Cerca per prima cosa di diventare consapevole del modo in cui respiri. Stabilisci uno schema di respirazione lento e ritmico in modo che ti dia un senso di tranquillità. È probabile che ci voglia del tempo. Ricorda che le acque torbide – se si dà loro il tempo di diventare calme – a poco a poco diventano limpide. Il tuo compito, in questo momento, è quello di arrivare a questa limpidezza attraverso l'acquisizione di un senso di profonda saggezza, per quanto ti è possibile. Inspira profondamente, immaginando il tragitto che l'aria compie nel tuo corpo, fino in fondo allo stomaco. A mano a mano che respiri, può esserti di aiuto contare ogni respiro lentamente e in silenzio, in questo modo: «Inspirare lentamente, due, tre, quattro... espirare lentamente, due, tre, quattro». Vedi se questo contare interiormente produce l'effetto di farti sentire più stabile. Io trovo che il semplice lavoro di contare lentamente ogni inspirazione ed espirazione fa sì che la mia mente resti concentrata, ma può darsi che ciò si verifichi perché la mia mente tende a distrarsi, a meno che non venga tenuta strettamente a freno. Quando senti che questo esercizio respiratorio ti ha calmato, inizia la seconda parte dell'operazione. Comincia a delineare con la fantasia la scena che descrivo più sotto.

Ciò che voglio tu immagini è la tua partecipazione al funerale di un amico intimo. Stai infatti camminando dietro al feretro alla volta del cimitero. Ci sono parecchi modi di farlo. Un modo che può risultare utile è visualizzare ciò che sta accadendo come se fosse registrato su una videocassetta. A mano a mano che osservi gli eventi che si svolgono nel video, noti che anche tu sei sullo schermo e che fai parte dell'azione. Un altro modo per realizzare lo "spazio" di questa meditazione è quello di immaginare te stesso come un artista che sta disegnando la scena per tramandarla ai posteri.

Appena hai un'immagine ragionevolmente chiara dell'evento, permetti alla tua mente di rappresentare il tuo amico defunto. Ricorda le sue capacità e i suoi talenti. Ricorda come questi fossero spesso messi a tua disposizione. Pensa ora per qualche minuto a quanto sarebbe triste se tutti questi talenti venissero improvvisamente eliminati. In un certo senso, la vita del tuo amico sarebbe stata ben futile se tutto finisse qui.

Proietta ora la tua mente in avanti, verso la scena descritta nella storia del Vangelo riguardante Lazzaro. Pensa per un momento a quanto amici e parenti dovessero essere devastati dalla sua morte. Il senso di speranza che avevano provato nel conoscerlo e nell'amarlo era stato rudemente distrutto. Guarda fisso le sue sorelle. Le parole che rivolgono a Gesù dimostrano che sono distrutte. Perfino sua sorella Maria, di solito così buona e tranquilla, fa fatica a trattenere la rabbia e il senso di ingiustizia che prova. Immagina di far andare avanti di un poco il video e ascolta le parole di Gesù. Sentilo chiedere alle sorelle: «Credete che vostro fratello risorgerà?». La domanda sembra a prima vista inutilmente brutale. Qui Gesù chiede davvero molto. Non si tratta certo di un approccio "morbido", né sono parole dolci o consolatorie.

A questo punto si può ricordare la morte dello stesso Gesù. Raffiguriamoci l'immagine di Cristo stesso nella Sua tomba. Ricordiamo che Cristo è stato adamantino sul fatto che la morte – e la Sua in particolare – non fosse la fine di tutto. Come ha sottolineato san Paolo, senza la Risurrezione non sarebbe servito a niente credere in Gesù. La tomba ha la funzione di condurre a una gloria più grande. Sappiamo che Gesù ha già percorso questo cammino e ha mostrato la strada per una vita più completa. Ha mostrato sprazzi della gloria che verrà attraverso le sue apparizioni successive alla Risurrezione e questi possono agire da sprone per farci progredire con ottimismo e speranza.

Termina con il Padre Nostro, in modo da portare con te un po' di fiduciosa aspettativa.

ESERCIZIO 7

Il guerriero

Sono cappellano all'università e, come ho già detto, alcuni di noi decisero di fare un pellegrinaggio a piedi all'estero con alcuni studenti. Mentre cammini faticosamente, hai tutto il tempo di riflettere su ciò che si sta verificando dentro di te. Non ne puoi fare a meno perché non solo ne hai tutto il tempo, ma anche perché lungo la strada incontri i compagni più diversi. Le loro storie portano nuova luce alle tue riflessioni nascoste e confuse.

Una coppia che incontravamo continuamente lungo la strada ebbe su di me un profondo impatto. Uno dei due era pieno di salute e camminava con forza e vigore, mentre l'altro aveva evidentemente risentito dello sforzo compiuto in alcuni tratti del cammino e si muoveva con grande difficoltà. Iniziavano quasi sempre prima di noi, ma dopo alcune ore li sorpassavamo di buon passo e io dubitavo seriamente che quello che aveva problemi a camminare sarebbe riuscito a portare a termine l'impresa. La pratica usuale è che ogni persona si ferma per riposare lungo la strada, e questo è ciò che facevamo anche noi. Invariabilmente la solita coppia ci raggiungeva non appena ci eravamo seduti e ogni sera, una volta giunti alla meta giornaliera, ci accorgevamo che anche loro avevano raggiunto l'obiettivo. Ci sarà voluto loro più tempo, e sono sicuro che quello più in gamba a volte si sarà sentito frustrato, ma sempre, al calar della notte, raggiungevano un rifugio sicuro. Dedico questa meditazione a tutti coloro che fanno fatica a percorrere il cammino.

Cominciamo. Sistemati in un luogo adatto alla preghiera e chiudi gli occhi. Concediti un momento per rilassarti e senti svanire la tensione. Cerca di notare lo stile e il ritmo della tua respirazione e diventa consapevole di ciascun respiro a mano a mano che inspiri ed espiri. A questo punto ripensa a una delle storie del Vangelo che parlano di guarigione. La prima che mi viene in mente – quella che io usavo sulla strada del pellegrinaggio in compagnia della coppia appena citata – era quella che narra di come Cristo curasse l'uomo dalla mano rinsecchita (Lc 6, 6-11).

> Un altro sabato, Egli entrò nella sinagoga e si mise a insegnare. Ora, vi era lì un uomo la cui mano destra era rinsecchita. Gli scribi e i farisei stavano osservando se Egli lo curava in giorno di sabato, per avere un pretesto da accusarlo. Allora Egli, che conosceva i loro pensieri, disse all'uomo dalla mano rinsecchita: «Alzati e mettiti qua in mezzo». Egli si alzò e si mise là in piedi. Poi Gesù disse loro: «Vi domando: è permesso, in giorno di sabato, fare del bene o fare del male, salvare la vita o toglierla?». E volgendo lo sguardo su tutti costoro, disse a quell'uomo: «Stendi la tua mano!». Egli la stese e la sua mano era guarita. Ma essi, pieni di malanimo, andarono a discutere tra di loro, che cosa potessero fare a Gesù.

Visualizza questa storia con calma e meglio che puoi, cercando di disegnare bene lo scenario. Come appare questa scena e quante persone ci sono intorno a testimoniare l'evento? Con la fantasia sei anche tu presente sul luogo del miracolo e puoi iniziare con il focalizzare l'attenzione sulla persona malata. L'uomo si era sicuramente fatto notare da Gesù. In che modo lo aveva fatto? Osserva poi come Gesù gli avesso chiesto di fare un passo avanti, distaccandosi dalla folla. Pensi che l'uomo fosse imbarazzato nel dover mostrare la sua infermità? Quanto gli è costato mettersi in mostra davanti a tutti? Interrompi un momento e guarda te stesso nella scena. Sembrerai sicuramente come tutti gli altri spettatori – piuttosto anonimo – senza alcuna infermità apparente, mentre la realtà può essere in qualche modo diversa. Chi di noi può dire in tutta onestà di essere completamente sano? E allora, che cosa c'è di morto dentro di te? Cerca di restare per un po' (ma anche a lungo, se necessario) a ripensare agli eventi che hanno causato questo disseccamento dentro di te. Può darsi che tu sia stato recentemente sottoposto a una prova di qualche tipo, oppure è possibile che una persona a te vicina sia malata o in gravissime condizioni. Il tuo lavoro o le circostanze familiari possono star lentamente distruggendo la tua energia, anche senza che tu ne sia consapevole.

Mentre ero in cammino sulla strada del pellegrinaggio, mi resi conto che le foglie morte e i fiori appassiti venivano lentamente riassorbiti dalla terra, dove davano forza ed energia alla nuova vita. Forse gli elementi che sono recentemente morti dentro di te hanno in realtà del potenziale. Immagina di mettere per terra questi elementi e renditi conto che possono avere delle proprietà che donano la vita. Sii consapevole del fatto che la morte si trasforma in nuova vita. Affinché questo si verifichi, può essere necessaria una determinata azione da parte tua. Riporta lo sguardo sull'uomo dalla mano rinsecchita e nota come Cristo gli presenti un'opportunità. Osserva la sua reazione mentre fa un passo avanti.

Se mi viene chiesto qualcosa, sono anch'io capace di fare un passo avanti? Siamo spesso paralizzati dalla paura in prospettiva di una simile sfida. Farisei di ogni forma e dimensione cercheranno di bloccare il nostro progresso. Prega affinché la fede non permetta ad alcun ostacolo di rendere difficoltoso il tuo progresso.

5
QUANDO LA MIA VISUALE È OFFUSCATA

«Non è la risposta che illumina, ma la domanda.»
Antico proverbio

Quando mi trovavo in India mi raccontarono la storia di una giovane donna che aveva avuto la fortuna di vivere ai tempi del Budda. Quando il suo primo figlio compì un anno, si ammalò e morì. Distrutta dal dolore, la povera donna cominciò a vagare per le strade col figlioletto fra le braccia, implorando chiunque incontrasse di darle una medicina che riportasse in vita il bambino. Gran parte di coloro che la incontrarono, imbarazzati, cercarono di starle lontano. Alcuni pensarono addirittura che fosse pazza e arrivarono a ridere di lei. Alla fine incontrò un vecchio saggio e gentile che le disse che l'unica persona al mondo capace di fare il miracolo da lei agognato era il Budda. La donna si recò allora da lui e stese ai suoi piedi il corpo del bambino, raccontandogli la sua storia. Il Budda ascoltò con infinita compassione, dicendole poi gentilmente: «C'è solo un modo per consolare la tua afflizione. Vai giù in città e portami un seme di mostarda da qualsiasi casa che non sia stata colpita da una tragedia». La povera madre cercò ovunque, in ogni casa che trovò, poiché era oltremodo grata al Budda per aver trovato il modo di alleviare il suo dolore. Per quanto cercasse, tuttavia, non riuscì a trovare un'abitazione che rispondesse alle caratteristiche desiderate. Andò di casa in casa, ma ovunque chiedesse, una qualsiasi forma di afflizione aveva toccato gli abitanti. Morte e disgrazie si erano verificate in ogni casa. Si rese conto infine che la condizione imposta dal Budda non poteva essere realizzata, così portò il corpo del suo bambino al luogo della sepoltura e gli disse addio, prima di tornare dal Budda. Quando questi le chiese se gli aveva portato il seme di mostarda, la donna rispose che aveva cominciato a capire la lezione che aveva cercato di insegnarle. Il dolore l'aveva resa cieca e aveva pensato di essere l'unica a soffrire a causa della morte. «Allora», chiese il Budda, «perché sei tornata da me?»

Condurre il bue

Rispose: «Per chiederti di insegnarmi che cosa sia realmente la morte, che cosa può esserci dietro e al di là della morte e che cosa non morirà dentro di me, se questa cosa esiste». Il Budda le disse che esiste solo una legge nell'universo che non cambia mai, e cioè che tutte le cose cambiano. Niente è permanente. Spiegò che la morte del suo bambino aveva aiutato la giovane donna a capire che la vita è un oceano di cambiamento, e che il cambiamento implica a volte una sofferenza insopportabile.

Nel suo libro, *Il libro tibetano del vivere e del morire*, Sogyal Rinpoche dice che è sempre difficile affrontare la morte ma che tuttavia ha sentito parlare di persone che, pur essendo state diagnosticate come malate terminali, avevano rifiutato di dichiararsi sconfitte dalla notizia. Si erano ritirate un poco dalla vita, avevano cercato la solitudine e avevano sinceramente affrontato se stesse, come pure il fatto che avrebbero potuto morire. Come conseguenza erano guarite. Queste persone avevano chiaramente esaminato la propria situazione ed erano riuscite a convincersi che, se si fosse verificato il peggio, sarebbero state in grado di affrontarlo. È quanto è probabilmente successo anche al pittore Rembrandt, la cui moglie morì quando egli era ancora giovane. Sembra che, dopo la sua morte, egli entrò in un periodo di profonda depressione, tanto che anche la sua arte ne soffrì. In seguito risalì la china e cominciò a credere che la vita potesse continuare nonostante le difficoltà. A mano a mano che riconquistò il suo spirito, cominciò a dipingere con rinnovato vigore, passione e scopo. Alcuni critici pensano che il fatto di aver accettato la morte della moglie sia stato una pietra miliare nella sua carriera perché lo portò a un nuovo, più alto livello artistico.

Elizabeth Kubler-Ross, una delle più importanti autrici ad aver scritto circa gli effetti della perdita di una persona cara, tratta con saggezza anche del modo in cui dobbiamo cambiare il punto di attenzione, se veniamo colpiti da una situazione drammatica. Dice di aver conosciuto bene la teoria di come la gente deve cambiare quando incontra situazioni personali veramente difficili, ma fu solo quando lei stessa fu colpita da un ictus che comprese il messaggio completamente. Qualche tempo dopo l'ictus, si trovò in preda alla rabbia, uno stato da lei descritto nel suo libro *La morte e il morire*. Ha spiritosamente notato che il settantacinque per cento dei suoi amici sembravano svanire quando lei si trovava nella sua fase di "rabbia", perché non sapevano come comportarsi, e non ha avuto paura di parlarne nei suoi scritti. Anche altri scrittori hanno osservato le reazioni di coloro che erano loro vicini quando un cambiamento personale si stava verificando, anche se non tutti amano parlarne nei propri scritti. Recentemente un mio amico giornalista si recò a visitare il padre, vecchio e malato, che non vedeva da parecchio tempo. Dapprima la conversazione fra i due fu praticamente nulla ma, dopo un po', la situazione sembrò migliorare e le parole cominciarono a fluire, benché i discorsi fossero seri e centrati sulla storia della famiglia. Il vecchio cominciò a narrare storie che sembravano lontane, sbiaditi ricordi di gioventù. Includevano anche eventi occorsi nei primi tempi del matrimonio dei suoi genitori. Il mio amico cominciò realmente a rianimarsi e a prestare una maggiore attenzione, specialmente quando venivano menzionate vicende riguardanti sua madre, rivelandone alcuni interessanti aspetti. Si trattava di storie che il giornalista non aveva mai sentito. Quando chiese perché questa variegata storia familiare non fosse mai stata raccontata prima, il padre rispose: «Sei uno scrittore, e noi tutti conosciamo gli scrittori. Avevo paura che qualsiasi cosa ti avessi raccontato sarebbe poi stata scritta, diventando quindi oggetto di chiacchiere e pettegolezzi nel vicinato. Non volevo che tu facessi dell'intera famiglia una specie di spettacolo sacro».

Anthony De Mello sarebbe stato deliziato nel sentire questo racconto perché egli usava continuamente degli aneddoti per illustrare i punti che voleva dimostrare, e molti di essi appartenevano alla sua esperienza personale. Sarebbe stato un uomo pericoloso da avere per amico perché aveva sempre lo sguardo puntato su ciò che accadeva intorno a lui e imparava da qualsiasi cosa vedesse. Uno dei suoi compagni gesuiti era solito vantarsi di essere stato prete per cinquant'anni e di non aver mai mancato di compiere la sua ora di meditazione quotidiana. Sono certo che si aspettasse delle lodi esagerate. Anch'io me le sarei aspettate. Tuttavia non è ciò che ottenne da Anthony, il quale osservò invece come un tale comportamento non fosse di per sé meritevole di lode, né qualcosa di cui andare orgogliosi. «È ciò che fate della vostra preghiera e che effetto essa ha sul vostro comportamento quello che conta» faceva notare.

A volte il tipo di vita che conduciamo o il comportamento che abbiamo devono essere attribuiti al condizionamento o ai modelli appresi dalla nostra famiglia e perfino dalla nostra cultura. Ci vuole onestà per ammettere che i tratti comportamentali possono essere stati appresi per mezzo di una continua ripetizione. Chiedi a te stesso: «Il mio stile di vita e il mio credo religioso sono forse stati inculcati in me da modelli formulati molti anni fa dai miei genitori o dalla scuola?». Questo avviene molto più spesso di quanto non ci piaccia credere. De Mello racconta sovente che nei suoi gruppi di terapia ha incontrato individui che non si comportavano spontaneamente o secondo il proprio credo o i propri valori. Danzavano alla musica di qualcun altro. Per dirla semplicemente, non sapevano chi essi fossero in realtà. Chi li osservava dal di fuori poteva vedere l'ombra della madre o del padre, ma il fatto che erano immagini speculari dei propri parenti non appariva per niente evidente agli individui stessi. Erano stranamente ambivalenti circa chi fosse il loro vero "io" o ciò in cui credevano fermamente.

Nella preghiera fatta onestamente, la vera essenza di una persona a un certo punto si rivela. Questo avviene quando chiediamo se le nostre parole o azioni derivino da certezze sincere oppure no. L'ideologia che ci guida potrebbe essere parte di un bagaglio tramandatoci dai nostri genitori, dalla nostra scuola o dal nostro ordine religioso. Se è così, cominciamo a renderci conto che non siamo altro che marionette appese a un filo, manovrate da figure autoritarie del nostro passato. Ci piace pensare di agire indipendentemente, ma è probabile che non ci sia un gesto, un atteggiamento, un pensiero o una credenza che non sia stato grandemente influenzato da chi ci ha preceduto.

Per arrivare a scorgere tale fattore dentro di noi, dobbiamo osservarci, senza voler con questo dire che dobbiamo diventare assorbiti in noi stessi, poiché ciò significherebbe preoccuparsi solo di se stessi, la qual cosa non è né saggia né benefica. L'auto-osservazione, d'altra parte, è un metodo attraverso il quale, per quanto possibile, osservi ogni cosa che fai, come se l'episodio accadesse a qualcun altro. Affinché ciò funzioni, hai in realtà bisogno di fare un passo o due indietro e focalizzare il punto. Fa' attenzione alle tue azioni come se non avessero alcun riferimento a te stesso. In questo modo puoi vedere quale effetto esse abbiano su di te. Un tale distacco può aiutarti a renderti conto che la tua ansia, paura o depressione è più dannosa per te di quanto non creda, perché ti sei identificato troppo con essa.

Parecchi santi, quando parlano della preghiera, ci incoraggiano a notare sia le sensazioni di estasi sia quelle di abbandono, perché sono indici di come Dio stia operando in noi. Sanno che l'anima risiede dove si incontrano il mondo interiore e quello esteriore. Sant'Ignazio di Loyola, nel suo libro *Esercizi spirituali*, spiega come egli credesse che Dio opera attivamente nel mondo e nei nostri cuori e come presumesse che Dio è attivo e presente in ciascuno di noi. Con l'osservare i nostri affari quotidiani e notando con atteggiamento di preghiera che cosa ci accade, egli credeva che fosse possibile scoprire dove abbiamo incontrato Dio, o fors'anche dove abbiamo cercato di evitare tale incontro.

La nostra mente è divisa in due parti – il conscio e il subconscio – e vogliamo adesso, se possibile, dare uno sguardo ad ambedue. Per prima cosa, concentrati sulla mente conscia. È principalmente adulta, razionale, consapevole, sveglia, e pensante. Vai prima là per cercare i segni dell'opera di Dio. Cerca di scoprire il punto dove il Signore possa aver fatto capolino nella tua storia recente. Se puoi usare la tua mente conscia per scoprire dove Egli ha operato, è magnifico. Tuttavia, se questo scrutinio risulta alquanto inefficace, prova altre strategie. È a questo punto che il nostro subconscio entra in gioco, poiché la mente subconscia tende a essere emotiva, irrazionale e sognante, con una tendenza verso la dissimulazione. Può essere primitiva, caotica e illogica, ma anche un po' come il proverbiale elefante che non dimentica mai. Se gliene si dà l'opportunità, può riportare alla luce dei ricordi e delle memorie con cui – a livello conscio – sarebbe per te estremamente difficile, se non addirittura impossibile, avere a che fare. Durante il nostro lavoro di fantasia, significati nascosti emergono a volte alla superficie e cominciano a diventare intelligibili e comprensibili. A volte hanno bisogno di essere districati perché la fantasia – per sua natura – è protettiva e cerca di evitarci di dover trattare con le dure realtà della vita. E questo va bene, perché molti di noi sarebbero devastati se cercassero di affrontare di petto e senza aiuto tali realtà della vita.

Per vedere come la fantasia possa essere utile, proviamo un esercizio. Siedi in una posizione comoda e fai attenzione alla respirazione. Segui il respiro quando entra ed esce dal tuo corpo. Mentre inspiri, nota come i muscoli si tendono nel petto e, mentre espiri, fai in modo che tali muscoli si rilassino. Continua a far questo per circa una dozzina di volte. Prendi ora nota di come ti senti mentalmente, a livello emotivo e fisicamente. Cerca di immaginare te stesso come suddiviso. Una parte di te si sente come vorresti idealmente sentirti in questo momento, mentre l'altra – forse un migliore barometro del tuo presente stato – è magari più stanca e meno ispirata di quanto vorresti. Mentre inspiri ed espiri, fai una pausa per osservare la distanza esistente fra dove sei e dove vorresti essere. Richiama con la mente conscia qualcuno che è importante per te e inzia un dialogo con lui o con lei. Esamina per prima cosa i doni particolari che questa persona ha riversato su di te. C'è un'area di te stesso che ti ha aiutato a capire più chiaramente? Vai quindi a dialogare col tuo lavoro e guarda l'interazione fra te e le tue attività. Il lavoro che fai sta cercando di dirti qualcosa? Mentre cominci a dialogare, inizi a renderti conto che alcuni elementi del tuo lavoro ti danno forza ed energia. Instaura adesso un dialogo col tuo corpo. È forse stato per te un estraneo per troppo tempo e hai ora bisogno di controllare se ciascuno di voi è stato giusto verso l'altro. Se chiedi gentilmente, il tuo corpo ti risponderà con onestà. Ci sono parti di te che provano dolore o che si lamentano e, se è così, quali sono le parti che provano dolore e che cosa cercano di dirti?

Proseguo quindi pensando ai miei sogni. All'inizio può risultare alquanto difficile perché o dimentico il contenuto dei sogni recenti oppure questi sembrano mescolarsi tutti in uno, diventando così offuscati.

Sembra impossibile scorgervi un disegno logico. Se tuttavia faccio ordine nella mia memoria, importanti tendenze cominciano a materializzarsi e a emergere alla superficie. Non sentirti scoraggiato se dapprima le cose sembrano confuse e offuscate. Ciò che il subconscio fa emergere può essere vago e nebuloso. Le rivelazioni possono pure risultare difficili da accettare. Ricordi passati, che vengono alla superficie, sono forse spiacevoli e talvolta si dà perfino il caso che vogliamo bloccare o rifiutare alcune delle informazioni che ci pervengono. Sembra più facile girare intorno al dolore e dirigersi direttamente verso zone di guarigione. È sicuramente questa la nostra prima tentazione, ma una simile linea di azione non è di solito proficua. La fantasia è un utile strumento che può aiutarci ad andare oltre le difficoltà, piuttosto che girarci intorno. In questo modo si può riguadagnare un certo grado di salute. Nella cultura contemporanea è evidente che molti non scelgono questa via. Essi cercano di seppellire il dolore e le ferite e a questo scopo usano droghe, alcol, la televisione, l'attività fisica e un superlavoro. Sperano che queste attività possano mascherare il loro disagio, ma molti medici onesti sanno benissimo che questo non accade. Di solito il dolore peggiora lentamente ma sicuramente. Fai attenzione qui a un altro fattore che potrebbe agire da freno al tuo progresso nel pregare. Nonostante una tale idea non sia oggi popolare, è invece necessario accettare il fatto che potrebbero essere in gioco delle forze esterne. Per secoli i maestri della spiritualità cristiana hanno parlato delle astuzie del diavolo in azione nel mondo e ci hanno consigliato di stare in guardia.

Essi paragonano questa forza a un individuo prepotente, aggressivo ma debole. Se lo si lascia fare, crea il caos, ma se lo si affronta e confronta, ha la tendenza a fuggire. Tentare di affrontare l'oscurità, tuttavia, o anche cercare di capire di che cosa si tratti, può rivelarsi un'impresa faticosa. Molti non vogliono neppure cominciare.

Coloro che sono lenti nel confrontarsi con il male, o che non hanno voglia di aiutarsi in alcun modo, non appaiono sotto una buona luce nei Vangeli. Sant'Agostino lo ha notato e ha detto essergli sembrato che le loro azioni ostacolavano Gesù, parevano bloccare la Sua bontà e grazia. Questo non accadeva per una qualche debolezza di Gesù, ma perché quelle persone irraggiungibili rifiutavano di aprirGli la porta. Un proverbio orientale dice che le perle non giacciono sulla spiaggia del mare e, se ne desideri una, devi tuffarti per trovarla. Nello stesso modo, se vuoi crescere spiritualmente, devi lasciare la porta almeno parzialmente socchiusa, se vuoi che si verifichino degli eventi positivi.

De Mello rallegrava spesso il suo pubblico raccontando la storia di un pignolo che non facilitava mai il proprio progresso spirituale e che si lamentava incessantemente con Dio perché sembrava non avesse alcuna fortuna nella vita. La sua ultima lamentela era la più sottile: «Dio, perché non mi dai un po' di respiro e mi fai vincere alla lotteria?». Rimase sorpreso dalla risposta di Dio: «Perché non dai anche a me un po' di respiro? Perché non compri un biglietto?».

La crescita personale ha un prezzo. Tale costo può includere esperienze personali di una dolorosa varietà. Quando questo accade, molti di noi chiudono bottega. Non vogliamo pagare il prezzo. Fuggiamo via. Dentro di noi sappiamo che eventi catastrofici si lasciano dietro dolori quasi intollerabili, così scegliamo di evitare il dolore e dirigerci direttamente verso la guarigione. Ma non funziona. Una ferita a cui non si è lasciato il tempo di rimarginarsi, consuma dall'interno. Se riuscissimo a sopportarle, tali esprienze porterebbero luce negli angoli oscuri del nostro essere e rivelerebbero aree dove la crescita non si è ancora verificata. Nel silenzio e nel dolore è concepibile che riusciamo a scoprire zone di attaccamento nefasto. Tali zone sono come una corda. Ci legano invece di liberarci.

Recentemente, durante un seminario di fine settimana, un partecipante ha sottolineato questo punto raccontando un suo sogno ricorrente riguardante la perdita della libertà. Sognava di avere attaccata strettamente al petto una colomba bianca alla quale egli si aggrappava con tutte le sue forze. Si chiedeva ora cosa potesse significare tale sogno. Nessuno seppe rispondergli. Il gruppo gli offrì però un suggerimento. La prossima volta che avesse fatto quel sogno, gli consigliarono di aprire le braccia entro cui racchiudeva l'uccello, e vedere cosa sarebbe successo. È proprio ciò che fece, anche se gli costò parecchio perché, non appena aprì le braccia, l'uccello si liberò. Tuttavia non fuggì. Volò gentilmente in cerchio intorno alla sua testa per poi posarglisi sulla spalla. Disse anche questa frase: «Adesso possiamo essere liberi». Se riusciamo a tagliare il legame con ciò che è dannoso, potremo forse anche noi ottenere una libertà simile.

ESERCIZIO 1

Trovare il perdono

Quando cominci la meditazione, assicurati che il tuo corpo sia sistemato in una posizione comoda, sia che tu stia seduto o sia sdraiato. Controlla se hai abbastanza spazio intorno a te per evitare di sentirti rinchiuso o inibito. Quando sei pronto, comincia a respirare ritmicamente, seguendo il modello dell'universo. Generalmente lo fai inconsciamente, ma nei momenti di maggior stress – come ad esempio in prossimità di un esame – diventa piuttosto difficile. Recentemente, proprio in un momento simile, ho condotto delle serate di meditazione con studenti universitari e molti si sentivano talmente "stressati" che quasi non riuscivano a raggiungere la pace interiore o un tranquillo ritmo di respirazione.

Cerca di mantenere il respiro fermo, costante, rilassato e ritmico, poiché molti maestri orientali assicurano che – quando si tratta di meditazione – il respiro è il tuo più grande amico. Durante gli esercizi di fantasia, ciò che viene alla superficie talvolta ci sorprende, ma devi lasciare che ogni cosa accada a suo tempo e a suo modo. Cercare di forzare la situazione per farla emergere risulta di solito improduttivo. Non possiamo né decidere l'argomento né il momento delle rivelazioni interiori, e forse è meglio così. È come se avessimo un censore interno per la nostra sicurezza, che permette alla negatività di rivelarsi al momento e nel modo giusto, impedendo così che ci sentiamo sopraffatti da troppe cose e troppo presto.

Costruisci adesso con la fantasia l'immagine di un luogo sicuro e che ami, sia che esista nella realtà sia che sia una tua creazione. Metti te stesso in questo luogo e visualizza, mentre viene verso di te, qualcuno che conosci, che ti ha ferito o che non ti piace. Quando sei pronto, muovi verso questa persona che non ami e offrile un simbolo di amore, di pace e di perdono. È probabile che questo ti riesca difficile ma, mentre presenti il tuo dono, sii consapevole di come deve sentirsi l'altra persona. Vi guardate negli occhi? Se parla, che cosa dice? Prendi adesso l'iniziativa e guardala tu negli occhi. Saluta l'altro come un compagno nel viaggio della vita e renditi conto che proprio quelli con cui siamo in dissonanza sono coloro che ci insegnano più cose su noi stessi. Se la sua presenza ha dato luogo a rivelazioni, ringrazialo. Quando sei pronto, fai sì che l'immagine da te creata nell'immaginazione si dilegui, e ritorna quindi al momento e al luogo presente. Mentre focalizzi di nuovo l'attenzione sul respiro, concludi dolcemente la meditazione.

ESERCIZIO 2

Le nozze di Cana

Mettiti seduto e inizia la meditazione cimentandoti in un esercizio di "suoni". Comincia col rilassare la respirazione e con il cercare di captare qualsiasi suono tu riesca a sentire al di fuori della stanza. Fallo lentamente, perché è probabile che tu possa distinguere parecchi rumori che si verificano contemporaneamente. Senza fretta, riporta lentamente la consapevolezza all'interno della stanza in cui ti trovi e prendi nota di qualsiasi movimento che vi si stia verificando. Potrai forse distinguere della musica di sottofondo, il ticchettio di un orologio, o il lieve suono del respiro di qualcuno che si trova con te. Sii consapevole di come ti senti e controlla i punti di contatto fra il tuo corpo e la sedia. Rilassa qualsiasi irrigidimento mentre espiri e, quando inspiri, nota l'aria fresca che passa attraverso le narici. Quando senti un senso di pace e di immobilità, cerca di immergerti nella seguente scena presa dal Vangelo (Gv 2, 1-11).

Ci troviamo a una festa di nozze. Anche tu sei stato invitato. Guardati intorno. Com'è l'ambiente? Ci sono molte persone? Sei un ospite speciale, seduto vicino agli sposi, oppure sei un lontano parente sistemato piuttosto distante dal luogo in cui si svolge l'azione principale? Fai ruotare gli occhi all'intorno e nota le grandi giare di terracotta là vicino, il tipo che veniva normalmente usato ai matrimoni dal 100 a.C. al 200 d.C. Resta a guardarle per un momento.

Ora viene la parte difficile. Usa l'immaginazione per raffigurare te stesso come una di queste giare e osserva le caratteristiche uniche del tuo disegno. Per prima cosa, renditi conto che sei stata creata per un compito ben preciso, quello di contenere delle cose. Liquidi. Forse la tua superficie è meno liscia di quanto vorresti, ha imperfezioni e graffi. Questi difetti ti impediscono forse di portare a termine il compito per cui eri destinato? Pensa a te stesso in relazione alle altre giare che ti circondano. Partecipate tutte a queste nozze e tu hai già visto che Cristo, che è pure presente, ha usato alcune delle altre. Ora è il tuo turno. Senti Gesù chiedere ai camerieri di portarti da Lui. Gesù aveva toccato gli altri contenitori, rendendoli speciali. Vuoi che Egli tocchi anche te? Prima di venir presentato agli ospiti, c'è qualcosa in te che ha bisogno di essere cambiato? Se sì, di cosa si tratta? Fai una pausa per pensare a quale cambiamento vorresti chiedere a Gesù di operare in te. Poi chiediglielo. Dopo un po' ritorna con l'immaginazione alla tua natura di essere umano e ringrazia Gesù per le benedizioni che ti ha dato. Concludi lentamente la meditazione.

ESERCIZIO 3

Offri la tua malattia a Gesù

Trova un posto adatto alla preghiera ed esegui uno degli esercizi di respirazione per entrare nello schema mentale giusto. Quando ti senti pronto, immagina una giornata ordinaria nella vita di Gesù. Nei Vangeli ci viene detto che in molte occasioni Gesù predicava talvolta tutto il giorno e che alla sera si trovava di fronte una folla di infermi e disperati in attesa della Sua attenzione. In questa meditazione voglio unirmi a questi ammalati. Immagino di essere rimasto in fila, in attesa, per tutta la giornata, davanti alla casa di Pietro poiché c'è in giro la voce che Gesù sia nei paraggi. Sono storpio da tutta la vita e ho sentito parlare di altri, affetti dallo stesso problema, per i quali erano state compiute grandi cose. Molta gente nella zona ha parlato così tanto di Gesù e di come la forza fluisse attraverso Lui, che anch'io voglio provare. Oggi, mentre aspetto in fila, sono fortemente consapevole di tutti gli altri intorno a me aventi lo stesso scopo: tutti cerchiamo la guarigione. Siamo di certo un gruppo eterogeneo, ma non credo che per Gesù faccia alcuna differenza. Guardo all'interno della casa di Pietro e ho una rapida visione di Lui e proprio in quel momento Egli guarda fuori e ci vede – una folla di derelitti – e per un momento temo che resti dov'è. Ora la porta della casa di Pietro si apre e Gesù esce fuori. Sono il primo che Egli vede e così è proprio nella mia direzione che si dirige. Altri si avvicinano sperando di farsi vedere anche loro, ma ora è il mio momento e non voglio lasciarmelo sfuggire. Chiedo con gli occhi. Egli è ora di fronte a me, guarda in basso e vede la mia gamba storpia. Comincia ad applicare le mani sul povero storpio che sono. Qualcosa sta accadendo. Sento una forza che penetra in me. La mia gamba diventa più forte. Ben presto è abbastanza forte da sostenere il peso del mio corpo. Mentre comincio a mettermi in piedi, sento le parole di Gesù penetrare nella mia tenebra. Mi chiede di andare con Lui, di aiutarLo. Inizio col dirGli di essere stato storpio tutta la vita. Un vero fallimento, davvero. Sento la Sua voce dire che non ha importanza. Può far uso sia di me sia dei miei talenti. Il mio cuore gioisce. Cammino di nuovo. Gesù mi chiede di fare qualcosa con Lui e per Lui. Prima mi ha guarito, ora chiede a me di guarire altri. Sembra suggerire che, se solo credo in me stesso, anch'io posso dare forza agli altri, oltre che a me stesso. Mentre stendo le mani, sento il potere miracoloso di Gesù fluire attraverso me. Chiudo gli occhi e prego con tutto il cuore. Sono appena stato guarito io stesso, ma ora mi si chiede di diventare un co-redentore. Chiedo una benedizione per la gente vicino a me. Qualcosa sta accadendo. I malati al mio lato cominciano a reagire. La loro fede e speranza sembrano estrarre da me qualcosa che non sapevo di possedere. Davanti ai miei occhi li vedo cambiare e migliorare. Coloro che mi circondano cominciano a guardarmi come se fossi io stesso un guaritore. Forse, con l'aiuto di Dio, lo sono.

Termina la meditazione ringraziando Dio per la Sua bontà nei tuoi riguardi e prega affinché tu possa avere il coraggio di accettare qualsiasi dono Egli voglia farti.

ESERCIZIO 4

La sofferenza portata con amore

Questo esercizio vi aiuterà a scoprire quale reazione istintiva avete di fronte al dolore. Dovrete utilizzarlo con grande discrezione. Può essere inappropriato per voi, in una fase di grave difficoltà o prostrazione, riflettere su cosa sta accadendo. Tuttavia, quando avrete più energie, se riuscirete a fare questo esercizio di visualizzazione scoprirete il suo grande potere di guarigione interiore.

Sedetevi per terra a gambe incrociate o su una sedia. Restate in silenzio e in quiete per qualche minuto. Chiudete gli occhi e prendete coscienza del vostro respiro. Lasciate che il ritmo d'inspirazione ed espirazione si regolarizzi. Concentratevi sulle sensazioni del vostro corpo e cercate di allentare ogni tensione fisica e psicologica.

Quando avete una qualche sensazione di ciò che accade dentro di voi, offrite questi sentimenti a Dio e chiedetegli di purificarli attraverso la sua Grazia.

Questa meditazione riguarda le tempeste e i problemi nella nostra vita.

Immaginate di aspettare un ascensore al quinto piano di un palazzo.

L'ascensore arriva... ma è un genere di ascensore diverso da quelli che conosciamo. Non vi porta al pian terreno di un edificio, ma nelle profondità del vostro Io, al cuore della vostra interiorità.

Salite sull'ascensore al quinto piano... la porta si chiude, e cominciate a scendere.

Mentre scendete, un senso di meraviglia vi riempie la mente perché potreste non essere mai stati prima in questo posto. Scendete giù al quarto piano e siete presi da un senso di angoscia, perché non siete sicuri di cosa troverete.

Ora arrivate al terzo piano e l'eccitazione aumenta mentre cominciate a immaginare che cosa troverete. Ora scendete verso il secondo piano e improvvisamente un senso di pace e di abbandono vi invade. A poco a poco la quiete cresce.

Siete giunti al piano terra. La porta dell'ascensore si spalanca e la visione vi stupisce. Vi trovate in un bosco soleggiato e, davanti a voi, oltrepassato un ruscello, si erge un'alta montagna.

Presto vi sentite stanchi e vi addormentate, quando improvvisamente vi sorprende uno spaventoso temporale di tuoni e fulmini. Vi rifugiate in una grotta della montagna, accendete un fuoco, e nel fragore della tempesta, al caldo e al riparo, cominciate a meditare sul periodo cupo e doloroso che avete appena attraversato o che state ancora vivendo. Nonostante i tuoni e l'acqua scrosciante, non avete paura. Siete soli, ma vi sentite in compagnia di Dio. Vi chiedete: quando sono stato colpito dalla sventura – dalla malattia, dalla morte di una persona cara, da un grande dolore – sono stato capace di continuare ad amare tutti e a vivere quel periodo diffondendo e raccogliendo amore?

La sofferenza sopportata con astio, rabbia ed egoismo è comprensibile, e scusabile. Ma la sofferenza portata con amore, diventa un frutto di bene che ci fa crescere e ci rende migliori.

ESERCIZIO 5

Lei ha scelto la parte migliore

Siedi o straiati e fai attenzione al respiro. Seguilo mentre entra ed esce dal tuo corpo e, mentre inspiri, chiedi che ti venga data energia. Mentre espiri, lascia che i tuoi muscoli si rilassino. Continua con questa respirazione profonda e lenta per un paio di minuti. Concentrati su quanto avviene mentre respiri e fai particolare attenzione all'aria fresca quando entra nelle narici e all'aria leggermente più tiepida quando ne esce. Ogni volta che la tua mente divaga, prendi nota delle distrazioni e torna quindi alla consapevolezza del respiro, prima di cominciare.

Inizio con l'abbozzare mentalmente un ritratto delle due sorelle, Marta e Maria. Hanno un temperamento e una personalità molto diverse – una decisa, l'altra leggermente sognatrice. Immagino le due sorelle mentre Cristo entra nella loro casa in questa giornata speciale. Cosa hanno fatto fino a ora? Marta è quella su cui mi concentro per prima, perché è lei che viene alla porta. Gesù nota subito le sue belle qualità – è solida, coscienziosa, lavoratrice, orgogliosa della sua casa. Sono sicuro che Gesù avrebbe voluto complimentarsi con lei per il suo lavoro, ma voleva anche che afferrasse le opportunità a mano a mano che si presentavano.

Così adesso, Signore, comincio a pensare alle volte in cui anch'io ero preoccupato e non ho notato il Tuo bussare, le volte in cui mi sono lamentato, ho brontolato, e ho sentito che veniva ingiustamente scaricato su di me troppo lavoro.

Mi sposto adesso verso la seconda sorella, Maria. L'osservo mentre si limita a stare seduta, parlando delle piccole cose della sua vita, mentre vorrebbe aver ancora più tempo per dedicarsi alla riflessione e al piacere del tempo libero. Mentre me ne sto là seduto a osservare la scena, rifletto sulle parole di Gesù: «Lei ha scelto la parte migliore», e mi prendo qualche minuto per mettere le mie speranze e le mie paure del futuro nelle Sue mani.

ESERCIZIO 6

L'albero

Siedi comodamente su una sedia e appoggia bene i piedi sul pavimento. Inizia adesso a notare il respiro mentre entra ed esce dal tuo corpo. Mentre inspiri, dì a te stesso che vuoi inspirare pace. Ogni volta che espiri, ricorda a te stesso che stai esalando tensione interna e inquietudine. Ripensa a tutte le cose nella tua vita che ti stanno causando disturbo e cerca di eliminarle per quanto ti è possibile. Usando l'immaginazione, visualizza uno stato di rilassamento che ti penetri nel profondo. Senti dissolvere la tensione. Lascia che il passo ritmato del tuo respiro compia miracoli. Può essere utile ricordare che la meditazione è stata usata con successo in molte culture e per molti secoli allo scopo di prevenire un'alta pressione sanguigna e altre forme di stress. Con la pratica regolare, puoi imparare a vivere sempre di più nel momento presente.

Allora, mettiti tranquillo e comincia a raffigurati la scena. Immagina te stesso come un albero situato in un posto qualsiasi, in un ambiente naturale, e cerca di capire che tipo di albero sei. Sei grande o piccolo, frondoso o scheletrico? Pensi di essere alto o basso, di aspetto imponente o piuttosto insignificante? Osserva il luogo in cui sei stato piantato, un suolo ricco e produttivo, o un terreno spoglio sul quale il nutrimento è stentato? Sopravvivi da solo oppure ci sono altri alberi nelle vicinanze? Se ce ne sono, sono della tua stessa specie o sono diversi? Vivi la tua vita in silenzio, senza comunicare con loro oppure discuti regolarmente l'andamento delle cose con chi ti circonda? Comincia ora a osservare le tue radici. Sono sane? Guarda il punto in cui sono piantate e come si diramano nel terreno. Ricevono abbastanza nutrimento? Che cosa in particolare dà loro sostentamento? Si sentono private di una qualsiasi fonte di nutrimento?

Essendo un albero, vivi attraverso le diverse stagioni, perciò cerca di immaginare te stesso dapprima in autunno. Senti come le tue foglie si disseccano e cambiano colore. Mettiti in contatto con qualsiasi sentimento tu possa sperimentare nelle foglie e nei rami. A mano a mano che le tue foglie cominciano a cadere, ti senti nudo e vulnerabile o all'inizio di una rinascita?

Adesso l'inverno si sostituisce all'autunno. I rigori della stagione hanno forse ucciso tutte le buone cose che ti circondavano, oppure hanno gentilmente rimosso gli elementi nell'ambiente circostante che risultavano per te inutili?

Le stagioni cambiano nella tua mente, ora l'inverno è finito e appare la primavera. Osserva le delicate piogge che apportano acqua fresca alle tue radici, unitamente a un clima mite che incoraggia una nuova crescita. Senti come le nuove gemme nascono dentro di te e si schiudono. Che cosa sta crescendo al tuo interno?

Spostati ora in estate, dove hai le condizioni ottimali che incoraggiano una crescita massima. Che uso fai di queste condizioni e quanta crescita si sta verificando?

Quando ti senti pronto, prenditi alcuni momenti

per ritornare a sentirti di nuovo una persona e diventa consapevole dell'ambiente circostante. Cerca di metterti in contatto con l'esperienza che hai appena vissuto e vedi quali sono le similitudini e le differenze fra la tua vita da albero e la tua vita di tutti i giorni come persona. C'è qualcosa di te o della tua situazione che ti piace o dispiace in modo particolare? C'è qualcosa che vorresti cambiare? Rilassati per qualche momento, poi concludi l'esercizio.

6
DISCERNIMENTO

«È molto più difficile giudicare te stesso che giudicare gli altri. Se riesci a giudicare te stesso, sei davvero saggio.»

Antoine de Saint-Exupery

L'Estremo Oriente è un posto fantastico per le storie che vi vengono raccontate. Una di quelle che più mi piacciono parla di un governante che ebbe necessità di fare un viaggio in un Paese straniero. Prima di partire, si guardò intorno nella sua residenza e notò il suo uccellino in un angolo, dove lo teneva in gabbia. Chiese allora all'uccellino se desiderasse qualcosa prima della sua partenza, e quello implorò: «Dammi la libertà».

«No, questo non posso farlo» rispose il governante.

«Va bene, ma almeno dà mie notizie ai miei cugini quando li incontri durante i tuoi viaggi all'estero.»

Dopo qualche tempo il signore raggiunse la sua destinazione e incontrò i suddetti uccelli. Come gli era stato richiesto, trasmise il messaggio. Quando sentirono che il loro cugino si trovava in gabbia, gli uccelli stranieri vennero meno. Quando l'uomo tornò a casa, raccontò al suo uccellino cosa era successo. Immediatamente l'uccellino cadde giù nella gabbia. Il padrone, pensando che fosse morto, aprì la gabbia per esaminarlo, e quello volò via, cantando felice per la gioia di essere libero.

Tuttavia, prima di volare via definitivamente, l'uccellino disse: «Il messaggio che tu mi hai portato – che ai tuoi occhi appariva tragico – è stato invece apportatore di buone notizie per me. Mi venne data un'idea, poiché mi sono reso conto che il modo di ottenere la libertà mi veniva mostrato proprio da te, che mi avevi catturato».

Questa è l'essenza di questo capitolo. Impara a distinguere il buono dal cattivo e fallo attraverso le esperienze che la vita ti offre. Gesù stesso ebbe a operare delle distinzioni. Si trovò ad affrontare molti punti di "incrocio" nella Sua vita. Ricorda come, nell'Orto dei Getsemani, Egli dovette affrontare una vera situazione da incubo. Sembra chiaro che avesse delle premonizioni del disastro che stava per abbattersi su di Lui. Molti si sono chiesti se Egli avrebbe potuto scegliere di evitare la catastrofe che gli si preparava, o se dovesse semplicemente seguire il proprio destino. I Vangeli non ci danno alcuna risposta precisa. Suggeriscono che esisteva un piano, ma se l'esecuzione di tale piano fosse ineluttabile o meno viene lasciato nell'ombra. Non è insolito che i cristiani riflessivi si chiedano se Dio abbia un disegno preciso di vita per ciascuno. Se è così, si domandano se un tale progetto debba per forza essere eseguito, oppure no.

Nel corso dei secoli, un'enorme quantità di sangue è stato sparso per il problema della predestinazione. Per cercare di arrivare a capire se Dio ha un piano personale per ciascuno di noi, possiamo cominciare osservando la vita di Cristo stesso. Egli ci può insegnare qualcosa sul discernimento. Può risultare tuttavia più facile pensare alla vita di un personaggio con-

Tornare a casa in groppa al bue

temporaneo, Henri Nouwen. Può darsi che molti conoscano questo mistico dei giorni nostri che ha scritto a lungo sulla propria vita, sulle sue battaglie e sul modo in cui ha cercato di seguire la volontà di Dio. Parla spesso e a lungo del modo in cui ha preso alcune delle più difficili decisioni della sua vita. Nel suo bel libro *Il cammino verso l'alba di un nuovo giorno*, focalizza un periodo particolarmente oscuro della sua vita. A quel tempo, Nouwen teneva delle conferenze presso l'Istituto di Teologia di Yale e le cose non andavano come si era aspettato. Sia l'insegnamento sia la vita in generale erano per lui causa di angoscia. Gli sembrava strano, dato che si trovava in una prestigiosa università, dove era conosciuto e rispettato. Avrebbe dovuto essere felice, ma nel suo intimo sapeva di non esserlo affatto. Era comunque un punto di partenza. Aveva riflettuto sulla sua vita e sapeva che le cose non erano a fuoco, almeno nella sua mente.

Poiché Nouwen è sia profondo sia onesto nei suoi scritti, fa luce su qualcosa riguardante il discernimento personale. Per prima cosa si occupa dei fatti. Ha visitato parecchie volte il Sudamerica e questi viaggi hanno messo in moto un pensiero che lo ha turbato. Era possibile che Cristo lo chiamasse a vivere e a lavorare in mezzo ai poveri della Bolivia o del Perù? Dopo essere rientrato da questi viaggi, ha riflettuto sulla possibilità e ha cominciato a essere assalito da alcuni dubbi. Ha guardato ai fatti puri e semplici alla fredda luce del giorno. Sapeva di avere una certa fragilità di spirito e si rendeva conto di non essere in grado di andare missionario in un Paese di lingua spagnola.

Dopo un'ulteriore riflessione, notò qualche altra cosa che non gli piacque ma che sapeva essere vera. La lotta disperata per la giustizia e per l'uguaglianza, di cui era stato testimone ogni giorno nel corso delle sue visite in America Latina, lo avevano lasciato scoraggiato e disperato. Il semplice fatto di vivere là lo faceva sentire appiattito e spogliato della sua calma interiore. Ciò lo scioccò. Non solo egli stesso lo aveva notato, ma casualmente cominciò anche a sentire commenti e osservazioni da parte dei suoi amici. Tali osservazioni suggerirono a Nouwen che, per queste popolazioni dell'America Latina, avrebbe potuto fare di più con i suoi scritti e con le sue conferenze, di quanto non avrebbe potuto fare vivendo tra loro. Questi fatti non erano facili da digerire. Gli era comunque chiaro che l'idealismo, le buone intenzioni e un cuore ardente per gli interessi dei poveri non costituivano di per se stessi una vocazione per andare a vivere tra gli emarginati.

Questo processo descrive i passi di Nouwen verso il discernimento. Aveva chiarito la situazione a se stesso. Sapeva ora che assumere una missione in Sudamerica non gli avrebbe apportato altro che dolore e, affinché una tale chiamata fosse autentica, prima doveva essere chiamato, e poi mandato. La sua calma riflessione lo aveva convinto che in realtà i nativi del Sudamerica non lo avevano chiamato. Né d'altra parte sembrava che la comunità cristiana desiderasse inviarlo in tale missione. Era passato attraverso un processo di autodiscernimento e, lungo la strada, aveva raccolto delle informazioni. Tale processo aveva portato alla luce un certo disagio riguardo al suo stile di vita attuale. Un qualche cambiamento si rendeva necessario. Ma, aveva egli le qualità richieste per un cambiamento del genere? Onestà e saggezza lo persuasero di non essere tagliato per il tipo di apostolato che aveva in mente. Il suo corpo e la sua mente non avrebbero accettato facilmente i sacrifici richiesti dal vivere fra i poveri sudamericani. Decise saggiamente che, per il momento, sarebbe rimasto dove si trovava. Era sicuro che il prossimo passo giusto gli sarebbe stato mostrato. E lo fu, ma non al tempo e nel luogo di sua scelta.

Il senso di disagio, che lo aveva afflitto in precedenza, continuò. Quando cercò di identificare il perché della sua condizione, ebbe un'intuizione. Gli studenti con cui lavorava all'università non desideravano né chiedevano ciò che egli aveva da offrire. Era desideroso di metterli al corrente su alcuni degli argomenti scottanti del Sudamerica ma, se voleva essere onesto con se stesso, sapeva che non li interessavano. Avevano bisogno di qualcosa di più basilare e, a suo giudizio, di qualcosa in più rispetto a ciò che egli poteva fornire. Ciò lo lasciò scoraggiato e insoddisfatto perché, usando le sue stesse parole, «scoprii che non facevo altro che lamentarmi». Sapeva di sentirsi un po' rifiutato. Giusto o sbagliato, si sentiva non apprezzato e non amato sia dai colleghi sia dagli studenti. Non era importante il fatto che fosse vero o falso. Tali erano i suoi sentimenti, e ciò li rendeva veri per lui. Dio gli stava parlando. I segni erano evidenti. Era necessario che continuasse il processo di discernimento circa il modo in cui doveva procedere nella sua vita.

Proprio in quel periodo accadde qualcosa di strano. Un visitatore si presentò alla sua porta inaspettatamente e l'incontro lo lasciò a disagio e con un senso di insicurezza. Il visitatore era venuto a portargli i saluti personali da parte del famoso canadese Jean Vanier, che lo invitava – così, all'improvviso – a far parte di una comunità per i mentalmente disabili chiamata *L'Arche* . In realtà stava offrendo a Nouwen una nuova casa e un nuovo inizio. Questi erano i fatti nudi e crudi. Più complicato fu cercare di capirne il significato. Un passo come quello che gli veniva proposto lo avrebbe completamente sradicato dalla sua vita. Ciò che agli occhi del mondo era più importante – una casa sicura e una solida reputazione – non avrebbe più avuto un grande valore. La gente avrebbe messo in discussione sia la sua saggezza sia la sua sanità mentale se avesse accettato una simile offerta. Si chiese vagamente se non fosse forse questo il modo in cui Dio offre le opportunità. A mano a mano che Henri Nouwen pensava e ripensava a queste cose sia con la mente sia con il cuore, si rese conto che ciò che gli veniva dato era esattamente quello che aveva sempre desiderato. Aveva sempre sperato di ricevere da Dio un segno su come procedere nel modo migliore. Dove doveva andare? Dove avrebbe potuto essere di maggiore utilità? Adesso, in un certo qual modo, la sua preghiera veniva esaudita. Una mano gli veniva offerta insieme a un benvenuto, e stava ricevendo ora ciò che aveva chiesto. L'unico problema era questo: adesso che la strada da percorrere gli si stava manifestando, si sentiva riluttante ad accettarla.

La storia di Nouwen illustra molte delle incertezze cui ci troviamo di fronte quando vogliamo avere la certezza di dove si trovino il progetto e la volontà di Dio. Una strada si presenta, ma può darsi che non sia molto chiara. In termini terreni, diciamo che è malamente illuminata. Il viaggio che ci viene suggerito deve forse essere intrapreso al buio. Confusione, paura e solitudine possono far parte dell'offerta. Al fine di definire una strada sensata per le nostre future azioni, Nouwen ci dà dei consigli. Dice di aver sentito di essere guidato. Qualcosa come una voce interiore continuava a parlargli a mano a mano che cercava di capire cosa fosse meglio per lui. Questa voce interiore gli suggeriva che sarebbe valsa la pena di sfruttare le sue doti di scrittore e riprendere una sua vecchia abitudine, quella di tenere un diario.

In questo diario annotava cosa succedeva nella sua vita di preghiera e che cosa gli veniva suggerito quando ascoltava il suo cuore. Vi registrava giorno per giorno quello che gli accadeva poiché voleva capire il progetto di Dio nei suoi riguardi e sapeva che sarebbe stata utile una onesta revisione periodica che desse voce ai suoi desideri e alle sue domande. Si potrebbe credere che sia facile tenere questa specie di resoconto intimo, ma non lo è. Si dà il caso che Nouwen fosse particolarmente bravo. Le sue note sottolineavano il fatto che sentiva un intenso desiderio di predicare il Vangelo, ma un certo istinto lo tratteneva. Non era ora il tempo per questo tipo di lavoro attivo. I suoi sentimenti più profondi gli dicevano che aveva bisogno di fare una pausa. Doveva pregare, meditare, leggere, restare in silenzio col cuore aperto e un occhio attento. Se lo avesse fatto, Dio gli avrebbe mostrato quale avrebbe potuto essere per lui la strada più positiva.

Gli sembrava che due voci rivali cercassero di attirare la sua attenzione. La voce esterna continuava a dire che avrebbe potuto fare molto bene qui e ora all'università, mentre la voce interna trasmetteva un messaggio diverso. Gli chiedeva di riflettere se fosse cosa saggia il restare dov'era. Rimanere là gli causava un senso di aridità e tristezza. In un tale stato, come avrebbe potuto contribuire al benessere di altri? Era auspicabile cercare di sollevare lo spirito altrui rischiando di perdere la propria anima? Il fatto di sentirsi rifiutato, il senso della propria desolazione interiore erano segni chiari, secondo lui, che non stava seguendo la strada che Dio voleva per lui.

Nouwen sapeva molto bene che i frutti dello Spirito di Dio non sono di solito la tristezza, la solitudine e la separazione. Sapeva inoltre che, se era disposto a giocare d'azzardo sull'opportunità che gli veniva presentata, aveva un metodo per controllare la correttezza e saggezza della propria decisione. Se l'opportunità veniva da Dio ed era perseguita fedelmente, avrebbe apportato gioia, pace della mente, serenità e un senso di comunione. Queste potrebbero essere utili pietre di paragone a cui far riferimento.

Se Dio ha un piano per noi, e se vi restiamo fedeli, dovrebbe derivarne la tranquillità dell'animo. Spesso, tuttavia, non è facile determinare i rudimenti di un tale piano. Sant'Ignazio aveva un "trucco" che potrebbe esserci d'aiuto. Dichiarava nei suoi scritti che è estremamente difficile vedere la correttezza o la stupidità di un'azione nel momento preciso in cui si prende una decisione. Suggeriva che è più semplice vedere la migliore strada che porta avanti se prima ci diamo tempo di guardare indietro. Lasciatemi spiegare.

Di tanto in tanto fermati un momento per dare un'occhiata a come sono andati i tuoi affari negli ultimi mesi. Questo esame può essere fatto durante un ritiro annuale o in un tranquillo fine settimana. È probabile che queste riflessioni siano molto illuminanti, fornendo lo spazio sufficiente a fare un passo indietro e a mettere le cose in prospettiva. Sono stato colpito spesso da quanto sia difficile capire in quale direzione mi sto muovendo mentre mi trovo alla prua di una barca in mare aperto. Non ho alcun punto di riferimento, né segnali indicatori. Se, durante il viaggio, sto invece a poppa e guardo indietro, posso capire molto più facilmente da dove sto venendo semplicemente guardando la scia lasciata nell'acqua.

La stessa cosa avviene nella nostra vita. Guardando

al passato è possibile capire dove c'è stato un buon raccolto, cioè quali azioni, persone, eventi e situazioni sono stati apportatori di ricompense inaspettate. La conoscenza di ciò ci guida verso il successivo passo in avanti. Prova. Riesamina gli ultimi mesi vissuti. Rivivili. Cerca di essere il più onesto possibile. In retrospettiva, rifletti sugli avvenimenti che ti hanno portato un beneficio reale: potresti essere sorpreso da ciò che apprenderai. Degli eventi, che nel momento in cui si sono verificati ti sono sembrati utili, ti appaiono adesso banali. Mentre li fai scorrere nella mente, risultano un affare il cui valore è di gran lunga inferiore a quanto avevi dapprima supposto. Al contrario, alcune esperienze e pratiche che ti erano apparse piuttosto insignificanti quando ti sei apprestato a compierle possono adesso, in retrospettiva, assumere un significato molto maggiore.

Si racconta che sant'Ignazio abbia detto che le persone sagge non giudicano la saggezza o meno di un'azione al momento in cui la eseguono, ma piuttosto in seguito quando, guardando indietro, possono vedere il frutto che ha prodotto. Non è mai facile cercare di giudicare la saggezza di un'azione al momento di prendere le decisioni. Facciamo un piccolo esempio. Un avvenimento che ogni anno io aspetto con ansia è la finale della coppa inglese di calcio. È segnata nel mio calendario fin dall'inizio dell'anno. Di solito ci si riunisce con gli amici per guardare insieme la partita alla televisione. Il gruppo aspetta quel momento con trepidazione. Ma dovremmo sapere ciò che accadrà. L'evento si trasforma ogni anno in un fiasco. Quando arriva il gran giorno, ci sistemiamo davanti al televisore. Ora dopo ora ci vengono propinati frammenti di notizie riguardanti il calcio. Ci informano sulla preparazione della squadra, ci danno il profilo dei giocatori, delle loro mogli e delle loro famiglie, e poi ci fanno rivedere come sono arrivati alla finale. Ci portano quindi sull'autobus della squadra mentre si dirige verso lo stadio e seguiamo i giocatori perfino mentre mangiano, prima della partita. Dopo di che la squadra ci viene mostrata mentre fa gli esercizi di riscaldamento, poi le ultime notizie ci vengono trasmesse con religiosa intensità. Alla fine il grande momento arriva e la partita ha inizio. A questo punto ogni membro del nostro gruppo ha già guardato la televisione per ore e ha quasi l'aspetto di uno zombie. La finale in se stessa è un evento talmente prestigioso che i giocatori sono nervosi e la partita è spesso piuttosto noiosa. A questo si aggiunge che, se non è stato raggiunto un risultato definitivo alla fine del tempo regolamentare, si gioca per un'altra mezz'ora. A questo punto, abbiamo guardato la televisione per circa cinque ore. La maggior parte di noi si trova in una specie di torpore. Basti dire che io, la sera, mi ritrovo sempre col mal di testa. È più o meno l'unica sera dell'anno in cui ho mal di testa.

D'altro canto, cerco di andare regolarmente a passeggiare nei fine settimana. Infatti la domenica, se non sono impegnato altrimenti, vado quasi sempre in collina con un gruppo di amici. Spesso il tempo non sembra affatto promettente prima di partire, per cui mi viene il dubbio sull'opportunità o meno di andare. Tuttavia le esperienze passate mi hanno insegnato che di solito non torno mai dalla passeggiata – indipendentemente dal tempo – senza sentirmi felice di aver compiuto lo sforzo. Ciò che avrebbe potuto sembrare una prospettiva triste e deprimente se avessimo dato retta alle previsioni del tempo, quasi sempre si rivela un ottimo affare. Questi due esempi mostrano che certe esperienze – mentre promettono molto – danno invece poco. Altre, apparentemente senza prospettive allettanti, in realtà ci rendono un ottimo servizio. Sapendo questo, possiamo decidere dove indirizzare in futuro i nostri sforzi.

ESERCIZIO 1

Il vasaio

(Ger 18, 3-4)

Leggi anzitutto il testo dal Libro di Geremia:

> Allora mi recai alla casa del vasaio: egli era là e stava lavorando alla ruota. Ma il vaso che stava facendo non veniva bene, come a volte accade quando un vasaio lavora l'argilla. Allora quello ricominciò e la modellò in un altro vaso, come gli sembrò meglio.

Siediti o sdraiati in un luogo tranquillo e fa' attenzione al respiro. Seguilo mentre entra ed esce dal tuo corpo. Mentre espiri, rilassa i muscoli. Continua a farlo una dozzina di volte. Diventa ora consapevole di come ti senti mentalmente, emotivamente e fisicamente nel momento presente. Immagina che in te esistano due persone, una che si sente come vorresti idealmente sentirti, mentre l'altra – forse più vicina al tuo vero stato d'animo – è probabilmente più stanca e meno ispirata di quanto vorresti.

Quando sei pronto, comincia a creare un'immagine nella tua mente. Immagina un vasaio seduto alla ruota con l'argilla pronta vicino a lui. Ne prende un po' e comincia a lavorare. Per alcuni minuti, poi per delle ore, lavora con l'argilla, modellandola in questo modo e in quell'altro, cercando di creare la forma perfetta che ha in mente. Talvolta la creta non è umida come vorrebbe. Altre volte è meno malleabile di quanto ci si aspetterebbe. Di tanto in tanto sembra che l'argilla gli opponga resistenza, ma egli continua il suo lavoro. Infine qualcosa di bello ne emerge, ed egli si rilassa guardando la sua creazione.

Immagina adesso che Dio sia il vasaio e tu l'argilla. Pensa alle volte in cui sei stato meno aperto all'influenza di Dio di quanto avresti voluto e hai talvolta contrastato, altre addirittura rovinato il Suo disegno. Ma Egli ha perseverato, come ha continuato a fare con te e con me.

Termina ringraziando per la Sua costanza e bontà e chiedi che Egli non rinunci mai al Suo compito.

ESERCIZIO 2

Lasciati consolare da Gesù

Siediti o sdraiati in una posizione comoda e lascia penzolare le braccia ai lati del corpo, senza incrociare i piedi. Adesso inspira profondamente, facendo scendere l'aria fin in fondo all'addome. Mentre inspiri, conta lentamente e silenziosamente: «Uno, due, tre, quattro». Espira quindi lentamente, contando di nuovo mentalmente fino a quattro. Continua a inspirare ed espirare, facendo coincidere il respiro col tuo conteggio mentale. Nota come il respiro diventi gradualmente più lento e sii consapevole del tuo corpo mentre si rilassa e della tua mente che diventa calma.

Immagina adesso che Gesù sia vicino a te e si esprima con parole delle Scritture. Ti ricorda la parte in cui viene detto di non pensare a fare offerte se non abbiamo ancora lasciato andare l'amarezza e il risentimento. Pensa a coloro che ti hanno ferito e soffermati su una persona che pensi ti abbia fatto un torto o di cui hai paura, oppure una persona che non ti piace o con la quale ti resta difficile trattare. Potresti anche fermare l'attenzione su qualcuno che non riesci a perdonare. Tenendo tale persona sul palmo della mano, chiedi che il tuo cuore possa ammorbidirsi nei suoi riguardi e senti la radiante energia di Gesù scorrere nel tuo cuore e uscirne dirigendosi verso la persona che hai in mente. Immagina che Gesù colmi con la Sua bontà le zone in cui ti senti ferito, facendola fluire in esse. Possa essere questo il tuo dono – e anche il Suo – alla persona per cui stai pregando.

ESERCIZIO 3

Maria visita Elisabetta
(Lc 1, 39-45)

Leggi prima il testo dal Vangelo di Luca:

In quei medesimi giorni, Maria si mise in viaggio, in tutta fretta, per la montagna, verso una città in Giudea; ed entrata nella casa di Zaccaria, salutò Elisabetta. Ora, appena Elisabetta udì il saluto di Maria, il fanciullo balzò di giubilo nel seno, mentre Elisabetta fu colma di Spirito Santo; ed esclamò ad alta voce, dicendo: «Benedetta sia tu tra le donne, e benedetto è il frutto del tuo seno. E come mai mi è concesso che la madre del mio Signore venga presso di me? Perché, ecco, appena la voce del tuo saluto ha colpito le mie orecchie, il bambino ha esultato di gioia nel mio seno. Beata Colei che ha creduto che si sarebbe avverato quanto è stato detto da parte del Signore».

Adesso sistemati e cerca di sentire ogni suono che riesci a percepire al di fuori della stanza in cui ti trovi. Che cosa puoi udire? Nota il rumore del vento o delle automobili che passano. È possibile che molti suoni si insinuino nella tua consapevolezza, perciò cerca di distinguerli per quanto ti è possibile. A meno che non ti trovi in un luogo in campagna particolarmente tranquillo, è probabile che tu senta il mormorio di conversazioni che si svolgono fuori della porta, dove altri stanno magari lavorando o giocando. Porta quindi l'attenzione all'interno della stanza dove stai seduto. Cerca di ascoltare qualsiasi rumore che si verifica nel tuo spazio di preghiera. Potrai sentire della musica in sottofondo, o forse il rumore creato da altri seduti vicino a te. Dopo un po', porta l'attenzione ancora più all'interno per sentire i più piccoli suoni emessi dal tuo stesso respiro mentre entra ed esce dal corpo. Se resti particolarmente immobile per un momento, potrai percepire il tuo cuore che batte dentro di te.

Quando sei pronto, comincia a disegnare con la mente la scena descritta più sopra. La Beata Vergine è partita per andare a visitare Elisabetta e vai anche tu, per ascoltare di nascosto la loro conversazione.

Puoi concentrarti su un qualsiasi aspetto dell'incontro che ti paia utile, ma puoi anche seguire questi suggerimenti. Tieni lo sguardo fisso su Elisabetta e osserva come sembri sintonizzata sul fatto che Cristo sia vicino. Che cosa c'era in Maria che poteva far pensare alla presenza divina in lei? Quali pratiche seguiva Elisabetta nella propria vita per far sì che i barlumi del Divino non passassero inosservati? Chiedi di diventare anche tu così osservante quando Gesù si offre a te.

ESERCIZIO 4

I discepoli nella stanza di sopra

(At 2, 1-4)

Leggi prima il testo dagli Atti degli Apostoli:

> Venuto poi il giorno di Pentecoste, si trovarono tutti insieme nel medesimo luogo. All'improvviso scese dal cielo un suono come di vento che soffia impetuoso e riempì tutta la casa in cui erano seduti. Apparvero quindi a essi come delle lingue di fuoco separate e si posarono sopra ciascuno di loro. Sicché tutti furono colmi di Spirito Santo e cominciarono a parlare lingue diverse, come lo Spirito Santo dava a essi la capacità di esprimersi.

Per prima cosa accendi una candela al centro del tuo spazio di preghiera e sieditie in posizione comoda, oppure trova una zona in cui puoi sdraiarti in posizione supina. Ora rilassati e, quando sei pronto, comincia a concentrarti sul tuo respiro.

Non forzare niente. Lasciati solo scivolare nella consapevolezza del ritmo del respiro. Ogni volta che ti sembra di allontanartene o di distrarti, riporta i tuoi pensieri con dolcezza verso la consapevolezza di ciò che accade mentre respiri. A volte può essere utile fare una specie di commento ad alta voce su ciò che avviene mentre fai l'esercizio. Parla a te stesso dicendo: «Adesso sto inspirando, adesso sto espirando», e dopo un po' noterai che il respiro ha in qualche modo rallentato il suo ritmo. Questo processo di "rallentamento" è particolarmente evidente se sei impegnato in una meditazione di preghiera durante un seminario di fine settimana. Il cambiamento di ritmo è assai notevole e tutto il tuo essere sembra muoversi a un ritmo più lento. Con un po' di pratica, la consapevolezza del tuo modello di respiro diventerà più acuta. Mentre fai l'esercizio, non cambiare il ritmo o la profondità del respiro. Limitati a osservare e a entrare in questo ritmo. Se preghi insieme a un gruppo, tieni gli occhi chiusi. C'è una ragione per questo, e cioè per non distrarti osservando gli altri mentre preghi, per vedere come stanno procedendo. Può essere anche più fuorviante se hai la sensazione che i tuoi compagni stiano osservando i tuoi sforzi.

Dopo aver proceduto in questo modo per un po' di tempo, cerca di vedere se c'è una qualche tensione che si va formando dentro di te. Aiutati a scoprirlo tendendo per prima cosa i muscoli della faccia. Mantieni questa posizione per un secondo, quindi rilassati. Fai quindi la stessa cosa con le spalle e con il collo. Irrigidisci i muscoli per un momento. Mantieni la posizione per un attimo e quindi rilassati. È ora la volta dei muscoli del torace e dell'addome. Tendili per qualche istante e quindi rilassali.

Mentre porti a termine questo esercizio, immagina che – mentre sei sul pavimento o stai seduto su una sedia – stai affondando sempre più giù dentro il pavimento. Quando ti senti pronto, muovi la consapevolezza nelle tue mani. Chiudile a pugno. Mantieni questa posizione per un momento prima di rilassarti. Mentre fai tutto ciò, assicurati di essere sempre a tuo agio. Se senti che una parte di te è tesa, rilassati. Percepisci il pavimento sotto di te. Immagina che ti stia sostenendo come Dio ti ha sostenuto in tutti i giorni della tua vita. Recita silenziosamente questa preghiera: «O Dio, Tu conosci ogni parte di me stesso. Conosci ogni mio pensiero e ogni mia azione. Tu li conosci tutti, Signore, anche prima che si verifichino. Niente che mi riguardi Ti è ignoto. Ti chiedo di liberarmi, Signore, da qualsiasi cosa che possa ferirmi o distruggermi. Guidami lungo il Tuo sentiero».

Con ogni inspirazione, senti i muscoli rilassarsi e il corpo diventare più pesante. Rilassati fra le braccia della Madre Terra e immagina che, mentre sei là, vieni totalmente sostenuto, protetto e nutrito da una Madre amorevole. Assicurati che ogni pensiero di disturbo sia di breve durata, limitati a galleggiare in quel senso di benessere. Con gli occhi quasi chiusi, osserva la candela nella luce soffusa. Vedi la fiamma della candela trasformarsi in schegge dorate di luce emesse dalla candela stessa. La fiamma si trasforma in minuscole scintille. Immagina che questo sia lo spirito di Dio e, mentre inspiri, dì a te stesso che stai respirando l'energia vivificante del Signore. Nel momento in cui lo Spirito ti si dona, Esso raccoglie e lenisce tutta la pesantezza, il dolore, la tensione, la tristezza e le emozioni negative che fanno parte della tua presente esperienza. Nell'espirare, immagina che tutte queste emozioni negative abbandonino il tuo corpo. Ogni inspirazione porta gioia e leggerezza, coraggio e fortezza. Prega affinché ogni espirazione elimini qualsiasi emozione negativa residua. Pensa per un po' ai discepoli raccolti nella stanza di sopra dopo la crocifissione. Molti di loro si trovavano in uno stato di disperazione. Il dono che stavano per ricevere era una perla dal valore inestimabile. Lo Spirito Santo stava per sostituire la loro disperazione e il loro sconforto con la speranza e il dinamismo. Uso il tempo dedicato alla mia preghiera per chiedere lo stesso dono per me stesso.

ESERCIZIO 5

Un esercizio "all'aperto"

Trova un luogo all'aperto dove puoi stare senza essere disturbato. Siedi per terra e chiudi gli occhi. Mentre ti siedi fai attenzione a come ti senti quest'oggi. Il sole è caldo sulla tua pelle, oppure percepisci il tocco leggero della brezza fresca sulle guance? Nota tutti i dettagli, e cerca di mantenere viva l'attenzione in ogni momento. Estendi ora l'attenzione a tutti gli altri sensi e nota ciò che ti circonda. Metti al lavoro le orecchie, ascoltando ogni canto di uccello che riesci a captare. Adopera anche il senso dell'olfatto per percepire l'odore di erba tagliata o di fieno.

Dopo questa fase di preparazione – durante la quale hai cercato di creare nella mente l'immagine di questo posto – comincia a fantasticare. Immagina che una specie di schermo trasparente si stia materializzando davanti ai tuoi occhi e, a mano a mano che lo osservi, questo schermo diventa sempre più opaco. Ora, mentre guardi, ti accorgi che a poco a poco sta cominciando ad apparire una forma, che via via diventa più definita. Ciò che sta iniziando a formarsi è il simbolo di qualsiasi cosa tu voglia cambiare, o su cui tu voglia operare, dentro di te. Mentre la osservi, questa cosa che vuoi cambiare diventa sempre più chiara e definita. Osserva i particolari del tuo simbolo. Nota il colore, o qualsiasi suono tu possa associare a esso. Quando ti senti pronto, vedi se questa immagine sullo schermo è disposta a spostarsi o cambiare in un modo qualsiasi, o se desidera muoversi in una determinata direzione. Non c'è bisogno di tirare o spingere l'immagine. Lasciala trasformarsi se lo vuole e se tu lo vuoi. Se non è così, va bene comunque. In realtà potrebbe risultare utile sapere che forse adesso non è il momento adatto a un cambiamento. Tuttavia, se la cosa desidera regolarsi o modificarsi, limitati a prendere nota del cambiamento che si verifica, osservando la trasformazione con tutti i tuoi sensi. Mentre ti avvicini alla conclusione dell'esercizio, comincia a notare che l'immagine si va dissolvendo sullo schermo. Ritorna adesso al momento presente e rilassati per qualche momento. Focalizza l'attenzione dalla testa alla punta dei piedi, notando se c'è stato qualche cambiamento nel tuo stato d'animo. Quando sei pronto, concludi l'esercizio.

Il bue e l'uomo sono spariti dalla vista

7
IL LATO PIÙ OSCURO

«Il dolore è vita, più acuto è il dolore, maggiore è l'evidenza di vita.»

Charles Lamb

Di recente ho cominciato a lavorare come cappellano universitario e, poco dopo, l'università ha deciso la stesura di un libro commemorativo per onorare gli allievi deceduti. A questo libro è stata data una collocazione privilegiata al fine di celebrare la vita di tutti coloro che erano morti mentre frequentavano l'università. A tale scopo venne organizzata una celebrazione religiosa e le famiglie interessate furono invitate. L'occasione era estremamente commovente. Risultò subito evidente che sia i parenti degli studenti scomparsi sia il personale apprezzavano profondamente il fatto che l'università avrebbe onorato i loro amici e parenti per sempre. Ciò che mi colpì, tuttavia, fu che molte delle persone presenti quella sera serbavano in cuore dei ricordi estremamente dolorosi. Onoravano e ricordavano i loro defunti, ma venivano anche a contatto col dolore che la vita spesso ci getta in faccia. Questo mi mise forzatamente di fronte a un argomento che non affronto volentieri. La vita, per sua natura, tende a causare dolore. Non abbiamo bisogno di andarci a cercare i problemi. Sono soliti arrivarci sulla porta di casa di propria iniziativa. Parte del dolore avviene in modo naturale e devi limitarti a pensare a come la morte visiti le famiglie in un momento o in un altro, o a come i disastri naturali abbiano la terribile abitudine di verificarsi a intervalli regolari. Possiamo fare ben poco per prevenire il verificarsi di tali avvenimenti. Tuttavia una buona parte della nostra angoscia e preoccupazione è autoinflitta. A prima vista, questo può sembrare strano. Chi vorrebbe infliggere dolore a se stesso?

Ricordo che una volta mi trovavo a camminare lungo una strada in Canada. La strada era piuttosto malandata e profondamente solcata. Era chiaro che i grossi camion per il trasporto del legname usavano regolarmente questa via e avevano scavato i profondi solchi che si protraevano per parecchi chilometri. A un certo punto notai un cartello sul ciglio della strada che diceva semplicemente: «Fai attenzione in quale solco entri, perché potresti rimanerci a lungo». Colui che aveva scritto il cartello evidentemente sapeva quanto fosse difficile uscire dal solco una volta che ti ci trovi dentro. I solchi sono dei punti pericolosi che possono apparire abbastanza evidenti a un osservatore esterno, ma possono risultare ben nascosti per coloro che sono più intimamente interessati. A volte siamo ciechi ai segnali di pericolo a causa della nostra inconsapevolezza o perché ce ne cominciamo a rendere conto lentamente. Si fanno strada nella nostra consapevolezza dei minuscoli sprazzi di luce che ci dicono che è necessario un cambiamento nella nostra vita, ma di solito il cambiamento comporta sia sofferenza sia sacrificio e questi sono elementi che la gente non accetta mai con entusiasmo. Cristo stesso non fu lento nel sottolineare questa verità, come scoprivano presto coloro che portavano da Lui i loro problemi e le loro richieste. Venivano messi di fronte a una semplice domanda: «Vuoi cambiare?» oppure «Vuoi stare bene?». Spesso i visitatori indietreggiavano di fronte a una tale domanda, e non mi sento di biasimarli.

Tu cerca di fare un po' meglio. Quando preghi, fa' un passo indietro per mettere meglio le cose in prospettiva. Chiedi a te stesso se nella tua vita ci sono zone in cui ti senti bloccato o per le quali provi imbarazzo. Se la risposta è affermativa, fai un altro passo avanti. Il prossimo argomento che deve essere affrontato è: sei preparato a fare qualcosa di costruttivo per sbloccare l'ingorgo che si è verificato al tuo interno? Sbloccare significa di solito che si deve pagare un prezzo prima di ottenere un vero progresso e tantissimi sono i modi, per quantità e per varietà, per mezzo dei quali è possibile scoprire questi blocchi sul nostro cammino. La lista include: ricordi di fallimenti passati, paura, vergogna, rabbia, o crudeltà pura e semplice. Questi indicano solo l'inizio, ma ciascuno può servire a dar vita al lavoro di autoriflessione. Tanto per cominciare, limitati a osservare come ti senti e qual è il rendimento del tuo corpo. Questo semplice esercizio può essere, di per sé, un mezzo utile per cimentarti nel processo di riflessione.

Un tizio che conosco bene mi raccontò di soffrire di mal di schiena con una certa regolarità. Quando gli chiesi di scoprire la causa di questo problema, si rese immediatamente conto che il dolore si manifestava in momenti eccezionalmente problematici nel suo già stressante lavoro. L'ansietà e la preoccupazione che incontrava sul lavoro sembravano trasformarsi in dolore fisico. Non appena si rese conto di questo, iniziò la sua strada verso la guarigione.

Ho osservato qualcosa di simile in me stesso, non molto tempo fa. Mi fu chiesto di trasferirmi a vivere in un quartiere degradato e malavitoso della città e, al momento in cui mi fu fatta questa richiesta, svolgevo contemporaneamente già due lavori. Ciò significa che avevo veramente molta carne al fuoco. Poco dopo essermi trasferito in quell'ambiente pericoloso, cominciai a soffrire di problemi di stomaco quasi costanti. Il disturbo andò avanti per diversi mesi, ma io cercai di nasconderlo. Evitavo di chiedermi che cosa potesse essere, finché il dolore raggiunse livelli insopportabili, a quel punto ebbi la fortuna di trascorrere una tranquilla settimana in campagna. Solo allora cominciai a pregare per quello che mi stava succedendo. Tre o quattro giorni di quieta riflessione e preghiera produssero poco, ma alla fine qualcosa si spezzò ma non penso si trattasse di me. Tre piccole frasi cominciarono a emergere alla superficie della mia consapevolezza. La prima frase che cominciò a presentarsi ricorrentemente alla mia mente era: «Sei malato». Uno o due giorni dopo, questa frase fu seguita da una seconda: «C'è bisogno di cambiare qualcosa». Verso la fine della settimana una terza idea mi si presentò di forza: «Tu hai bisogno di cambiare qualcosa». Le frasi, se combinate, erano una specie di messaggio che mi veniva gridato e mi sembrava simile alla seguente immagine che continuava a presentarsi alla mia mente.

Vicino a dove vivo c'è un'autostrada che va verso la costa irlandese. Puoi uscire dall'autostrada e dirigerti verso i piccoli villaggi sparsi lungo il tragitto ma, se da queste cittadine cerchi di ritornare verso l'autostrada, ti trovi a dover scegliere fra due vie. Una ti permette di reimmetterti sull'autostrada con facilità ma l'altra, se cerchi di imboccarla, ti porta a faccia a faccia con un enorme cartello stradale. Questo cartello è grandissimo e intimidatorio e contiene solo due parole: «Torna indietro». Il segnale cerca di avvertirti che, se continui sulla strada che stai percorrendo, ti si prepara una catastrofe. Ritornerai sì sull'autostrada, ma ti troverai ad andare contromano. Questa è la scena che ha continuato a presentarmisi durante la mia settimana di riflessione. I miei problemi di stomaco erano una specie di avvertimento. Il mio corpo cercava di gridarmi un «Torna indietro» cautelativo. Cambia il modo in cui stai vivendo o il modo in cui stai vivendo cambierà te. Benché si tratti di un compito doloroso e sgradito, non è una cattiva idea chiedersi di tanto in tanto se ci sono nella nostra vita dei segnali che ci dicono: «Torna indietro». Se ci sono, quali potrebbero essere? Il primo barometro di misurazione è certamente il corpo. Come un motore, può bloccarsi se lo sottoponi a sforzi eccessivi o se non gli lasci il tempo sufficiente per il riposo e per il rilassamento. Anche se talvolta non è immediatamente evidente, il tuo corpo di solito agisce positivamente, e questo può anche significare ammalarsi a fin di bene, perché forse questo è l'unico modo per farti rallentare. Esaminati per un momento e chiediti se il tuo corpo sta cercando di comunicarti qualcosa.

Spostati ora sul piano spirituale. Come si è sentito recentemente il mio spirito? Buone e cattive abitudini hanno coesistito dentro di me e, se così è stato, che cosa mi hanno lasciato? Osserva questi tratti e nota dove e come hanno operato, prima di giudicare se hanno causato consolazione o desolazione dentro di te. Non affrettarti nel fare questo esame, perché non puoi portare riparo a ciò che prima non hai affrontato. Saresti colpito dalla similarità fra la domanda che ti si presenta e il quesito che Cristo pose ai suoi seguaci. Che cosa fa una persona quando le cattive e le buone abitudini sembrano così strettamente connesse, quando il grano e le erbacce crescono insieme? Cristo suggerisce che a volte, se vogliamo che si verifichi la crescita, è necessario accettare la parte oscura della nostra personalità, unitamente agli aspetti più positivi. È bene permettere questa specie di coesistenza dentro di noi, ma è rischioso in quanto può mascherare o annebbiare il bisogno di un'azione radicale e incentivare la pigrizia o la procrastinazione. Può anche soffocare la nostra voce interiore o permettere alle voci degli altri di influenzarci eccessivamente.

Anthony De Mello ci ha regolarmente messi in guardia circa il permettere agli altri di avere troppa presa su di noi. Si riferiva con ciò al fatto di ascoltare maggiormente le loro voci e i loro valori invece dei nostri. Una persona che modifica se stessa per adattarsi agli standard altrui finirà per annullarsi. Sii sicuro di te stesso. Sii consapevole di ciò che è vitale per te perché, se non hai la certezza di questo, diventerai – per usare le parole di De Mello – come una scimmietta che risponde a ogni voce che sente. Fin dai primi giorni di vita siamo abituati ad ascoltare gli applausi di lode e i fischi di derisione da parte di chi ci è vicino, e ciò crea una specie di dipendenza che è quasi come una droga. Questa pillola può essere etichettata "bisogno di approvazione" e, se si impadronisce della nostra vita, siamo più o meno finiti ancora prima di cominciare. Iniziamo a ricercare attenzione, successo, apprezzamento, prestigio, potere, e lo facciamo con un senso di disperazione. Se il bisogno di approvazione arriva ad avere una forte presa su di noi, non ci vuole molto prima che cominciamo ad aver paura di perdere il rispetto degli altri. Cerca di capire se anche tu hai questa tendenza. Non è una cosa rara.

Poco dopo la seconda guerra mondiale, molte persone si chiesero come mai gran parte della nazione tedesca si fosse lasciata influenzare nel proprio comportamento da un piccolo gruppo di capi pervertiti. Com'era possibile che un intero gruppo di gente si lasciasse accecare circa i propri istinti migliori e peggiori? Al fine di trovare qualche risposta, è stato condotto un esperimento in cui un certo numero di individui furono fatti entrare in una stanza per un semplice esperimento. Sulla parete vennero disegnate alcune rette di diversa lunghezza e fu chiesto ai volontari là convenuti di contrassegnarle in ordine di lunghezza. Dovevano cominciare dicendo quale fosse la riga più lunga e continuare fino a quella più corta. L'intero esperimento venne filmato così che osservatori obiettivi potessero valutarne il risultato. Ciò che i volontari non sapevano era che in mezzo a loro erano stati piazzati degli impostori, che conoscevano lo scopo dell'esperimento. Ad alcuni di questi fu chiesto per primi quale pensavano fosse la linea più lunga. Il primo espresse la sua opinione. La linea che aveva scelto era chiaramente più corta delle altre e nel film si vedono i partecipanti ridacchiare maliziosamente al suo evidente errore. Tuttavia il secondo – anch'esso messo là da coloro che conducevano l'esperimento – fece la stessa scelta del suo collega. Si vede ora nel film i partecipanti guardarsi l'un l'altro con aria interrogativa. Può darsi che la loro vista li stia ingannando? Forse ciò che hanno dapprima considerato come la retta più lunga risulta sbagliata. Pensano che, se esprimono la propria opinione, si esporranno forse al ridicolo. Nel guardare il film, si può quasi percepire l'accumularsi della tensione. Tutti intuiscono il rischio potenziale di perdere la propria dignità. Quando venne chiesto al terzo partecipante, anch'egli messo là apposta, di esprimere la sua opinione, anch'egli fece la stessa scelta dei primi due, e i partecipanti restarono chiaramente meravigliati. Venne infine chiesto a uno dei veri volontari di indicare quale linea era secondo lui la più lunga. Dubbioso ed esitante, fece una pausa prima di rispondere. Alla fine indicò col dito. Con evidente riluttanza, scelse la stessa linea che avevano scelto gli altri. Si era sentito intimidito. Non era pronto a far valere ciò in cui credeva veramente. Gli altri volontari, venuto il loro turno, seguirono la stessa strada. Fecero pedissequamente la stessa scelta anche se è chiaro che, al momento di iniziare l'esperimento, non avevano dubbi su quale fosse la risposta giusta. La pressione esercitata dal gruppo, o il desiderio di non apparire stupidi, aveva fatto deviare la loro capacità di prendere decisioni. Volevano e avevano bisogno dell'approvazione dei compagni e ciò li convinse ad agire contro il loro giudizio, che in realtà era quello giusto. Permisero all'opinione altrui di pregiudicare ciò in cui essi onestamente credevano. Non è raro che anche noi facciamo lo stesso. Accettiamo commenti e opinioni che sentiamo qua e là e diamo loro molta più importanza di quanto non dovremmo. Permettiamo a questi di turbare perfino la nostra pace.

Quante volte sei stato avvilito da un'osservazione sconsiderata o malintenzionata da parte di chi ti sta intorno? Puoi magari aver sentito qualcun altro dire che stai ingrassando, o che stai rapidamente invecchiando, o che i tuoi capelli stanno diventando grigi, o che non sei vivace come al solito. Quanto ti hanno colpito tali commenti? Parecchio, probabilmente. Se non ti sentivi giù prima di udire quelle parole, ti sei sentito certamente avvilito dopo. Piccole cose – se ci basiamo troppo sulle opinioni degli altri – possono inorgoglirci o umiliarci in modo notevole. Sant'Agostino raccomandava di non permettere che la nostra felicità dipenda da cose così vuote e passeggere, perché questa euforia può chiamarsi felicità. In fondo, è a Dio che cerchiamo di piacere, e in Lui è riposta la nostra gioia. Se non stiamo attenti, possiamo perdere il nostro equilibrio a causa della forte dipendenza dal giudizio altrui. Potrebbe essere possibile – attraverso un modo di pensare innovativo – usare paura e apprensione in maniera costruttiva? Possiamo servirci di qualcosa che sembra così distruttivo per avvicinarci a Dio?

La dottoressa Sheila Cassidy, ben nota sia per la sua prosa sia per il suo coraggioso lavoro fra i poveri del Cile, suggerisce che può essere possibile. Nei suoi scritti racconta che un giorno ha curato un contadino che si era ferito cadendo lungo un sentiero. La polizia segreta gli aveva sparato ma egli era talmente terrorizzato dalla sua cattiva fama, che rifiutò di andare all'ospedale. Lo curò quindi privatamente, ma la sua azione generosa come dottoressa fu notata nella comunità locale e fu denunciata alle autorità. Ciò portò al suo arresto e a una conseguente tortura. In prigione, la donna non divulgò alcuna notizia riguardo al contadino malato che aveva curato, anche se credeva di essere in punto di morte. Riuscì a trarre qualcosa di meritevole dalla sua sofferenza, perché la collegò alla sofferenza di Cristo. Credeva che, nel suo piccolo, stesse sperimentando ciò che Cristo stesso aveva sperimentato e così si sentì amata da Dio in modo straordinario perché – anche se in minima parte – stava condividendo i dolori di Suo figlio.

In modo simile altri affrontano e sopportano la sofferenza, e danno significato all'esperienza offrendola come espiazione. Molti di noi non sono così coraggiosamente altruisti. La nostra prima reazione è di solito quella di fuggire dalle avversità. Facendo uno sforzo è possibile tuttavia percepire i momenti angosciosi della vita non come un'occasione di fuga, ma piuttosto come un'opportunità di purificazione dei nostri cuori. Sant'Ignazio di Loyola suggerisce che il sentiero della santità può venire illuminato dalla lotta. Affinché ciò avvenga, dobbiamo osservare il nostro dolore, i fallimenti, le delusioni e i peccati, ma prima di cominciare è consigliabile ricordare che il Padre, il Figlio e lo Spirito Santo ci amano più di quanto non immaginiamo, nonostante i difetti e le mancanze che sappiamo essere in noi. Quando abbiamo ammesso che peccato e debolezza sono parte della nostra eredità, dobbiamo cominciare a guardare a Cristo per ottenere speranza e sicurezza. Ci è possibile farlo camminando con Cristo attraverso la Sua passione e pensando alla Seconda Persona della Trinità che ha sofferto e ha subìto la crocifissione per noi. Dopo aver pensato al fallimento, rivolgiamo adesso l'attenzione verso il futuro. Pensiamo alla Pasqua della nostra vita. Come è piaciuto ricordare alla dottoressa Cassidy, dovremmo essere delle persone "pasquali" in grado di trattare con il fallimento in modo costruttivo. Molti tuttavia trovano che ciò è quasi impossibile e se ne sentono sopraffatti. Il potere delle tenebre ha una tale presa che non sembra praticamente possibile venire a contatto con la luce. Le sofferenze che devono sopportare li fanno sentire sperduti e dimenticati, separati e soli. Oltre a questo, l'angoscia di sentirsi bistrattati e manipolati conduce spesso verso sentimenti di risentimento e di autocommiserazione. Il nostro equilibrio emotivo può essere fragile. Chi legge il Nuovo Testamento dice spesso di essere sorpreso da quanto spesso i testi parlano di un potere oscuro dell'universo e del fatto che la vita e la morte, l'oscurità e la luce coesistano proporzionatamente. Senza la grazia di Dio, questo equilibrio può venire sbilanciato nella nostra mente, e così cominciamo a credere che le cose non miglioreranno mai, o che non torneranno mai a posto. È facile credere che il mondo stia cospirando contro di noi o temere di essere buttati giù dalle sfortune della vita, divenendo così malfunzionanti. In un tale scenario, assumiamo il ruolo di persone danneggiate e agiamo come tali, biasimando tutti a eccezione di noi stessi per quanto sta succedendo nella nostra vita. De Mello era solito dire che in un tale stato di malfunzionamento noi siamo in un certo senso addormentati. E ciò che fa ancora più paura è il fatto che non ci vogliamo svegliare. Non vogliamo essere felici. A prima vista questa affermazione sembra ridicola e quando De Mello la enunciò certamente scioccò il suo pubblico. Con uno scintillio negli occhi, egli incoraggiava la gente a fare un piccolo esperimento. Pensa a qualcuno a cui vuoi molto bene. Poi, immagina di dire a questa persona che – se tu dovessi fare una scelta – preferiresti avere la felicità piuttosto che la sua amicizia intima. Questo esercizio sembra abbastanza facile da fare, ma la maggior parte degli ascoltatori di De Mello non riusciva a farlo. Si sentivano egoisti e non erano capaci di permettere a un tale sentimento di venire in superficie. De Mello rideva e diceva: «Vedete che lavaggio del cervello avete ricevuto. Nessun vero amico vi chiederebbe di scegliere fra lui e la vostra felicità».

ESERCIZIO 1

L'inizio non preparato

Trova un posto che ti sembra adatto alla preghiera, dove sei certo di non venir disturbato. Chiudi ora gli occhi e comincia a fissare la tua mente su ciò che stai facendo. Percepisci la sedia sotto di te mentre stai seduto e diventa consapevole di come essa sostenga il tuo peso. Sposta quindi l'attenzione verso l'aria che stai respirando. Nota la sensazione di freschezza che ti procura quest'aria sulla punta delle narici. Se stai pregando all'aperto, o vicino a una finestra soleggiata, diventa consapevole del tepore del sole che ti accarezza la pelle. Se non c'è sole, sii allora consapevole di qualsiasi brezza che ti sfiori mentre lavori. Talvolta è possibile trasformare in meditazione ogni esperienza che facciamo nella vita. Per farlo, comincia col ripensare ai mesi trascorsi e vedi se c'è qualche incidente che ha avuto una particolare importanza.

A me è successo di scoprirne uno recentemente, in occasione del mio incontro con un'amica. Costei era desiderosa di fare l'esperienza di un pellegrinaggio, e anch'io. Un grande entusiasmo per l'idea ci animò entrambi quasi simultaneamente. Lei voleva pianificare l'intera camminata in modo metodico, mentre io ero più propenso a improvvisare e iniziare immediatamente. Avremmo potuto vedere quali piani più dettagliati sarebbero stati necessari per l'avventura a mano a mano che avremmo proceduto. Suppongo di aver avuto un po' paura che, se avessimo esaminato ogni più piccolo aspetto del pellegrinaggio a piedi, cercando di anticipare ogni problema concepibile, l'enormità dell'impresa ci avrebbe probabilmente portati a rinunciare.

Per questo tipo di esercizio di preghiera, ripensa semplicemente a qualcosa che è avvenuto, e chiedi cosa mai potrebbe insegnarti. Sei di solito impulsivo in quello che fai? Questa caratteristica ti aiuta o ti ostacola?

Lasciando che la tua mente vaghi attraverso gli avvenimenti del tuo passato, dovresti arrivare a pensare ad altre situazioni in cui hai dovuto mettere in pratica un'idea. Ti sei buttato a capofitto nella situazione nel modo descritto sopra, agendo d'impulso, o ti sei trattenuto?

Se ti sei trattenuto, per quali ragioni l'hai fatto? Volevi considerare attentamente tutti i lati del progetto prima di soppesare le varie opzioni o forse avevi troppa paura ad agire?

Trattenendoti e riflettendo più a lungo, sei arrivato infine a prendere una saggia decisione, a giudicare da quanto hai potuto vedere dai risultati?

Oppure hai passato così tanto tempo a tergiversare che non sei arrivato ad alcuna conclusione e ti sei lasciato così sfuggire la possibilità di agire?

Solo tu, in tutta onestà, puoi rispondere sinceramente a queste domande per quanto riguarda te stesso, e l'onestà con cui rispondi può guidarti quando, in futuro, dovrai prendere altre decisioni o affrontare situazioni in cui c'è bisogno di fare una scelta.

ESERCIZIO 2

Vita rinnovata

(Lc 24, 36-43)

Leggi dapprima il testo dal Vangelo di Luca:

Mentre parlavano di queste cose, Gesù apparve in mezzo a loro e disse: «La pace sia con voi!». Essi, sbigottiti e pieni di timore, credevano di vedere uno spirito. Ma Egli disse loro: «Perché siete voi così turbati e perché nei vostri cuori si manifestano questi dubbi? Guardate le mie mani e i miei piedi: sono proprio io. Toccatemi e osservate: uno spirito, infatti, non ha carne e ossa come vedete che ho io». E dicendo questo, mostrò loro le sue mani e i suoi piedi. Ma poiché, nella loro gioia esitavano ancora a credere ed erano pieni di meraviglia, chiese loro: «Avete qui qualcosa da mangiare?». Essi Gli presentarono del pesce arrostito. Egli ne prese e mangiò alla loro presenza.

Siedi tranquillamente e da solo in una stanza. Non appena sei pronto, presta attenzione a ogni suono udibile all'esterno della stanza e cerca di distinguere qualsiasi altro elemento oltre al rumore di sottofondo. Dopo alcuni minuti, porta l'attenzione all'interno della stanza. Ascolta qualsiasi rumore percepibile. Può darsi che tu senta il ticchettio di un orologio, o il rumore di altre persone che stanno meditando. Limitati ad ascoltare i suoni. Dopo un po', porta il centro della tua attenzione ancora di più verso l'interno. Diventa consapevole della freschezza dell'aria mentre ti entra nelle narici e ascolta il lieve rumore che provoca nell'entrare.

Quando ti senti del tutto a posto e calmo, fa' sì

che la storia del Vangelo che ho descritto sopra ti diventi ben chiara nella mente. Immagina che Gesù sia là con te e chiediGli di trovare un posto anche per te nella scena. Può darsi che parli di come i Suoi seguaci si sentissero quella mattina, poiché un senso di tristezza e di tragedia si era impossessato di loro dopo la Sua brutale morte. Probabilmente i discepoli temevano che anche a loro avrebbe potuto capitare qualcosa di simile. Non avevano certo la forza di svegliarsi e affrontare un nuovo giorno. Chiedi a Gesù come mai avesse permesso loro di arrivare a sentirsi così giù. Era forse perché, come ha detto Charles Lamb «il dolore è vita, più acuto è il dolore, maggiore è l'evidenza di vita», oppure per far loro sapere, come piaceva dire a Ernest Hemingway, che «il mondo spezza tutti, e dopo molti sono forti nei punti spezzati»?

Chiedi di poter dare un'occhiata a quegli stessi discepoli nel momento in cui ebbero il primo sentore che Cristo era di nuovo con loro. Fai attenzione in modo particolare al raggio di speranza sulle loro facce e alla lenta consapevolezza che forse non tutto in fondo era perduto. Ricorda le volte in cui tu ti sei sentito giù e chiedi se c'è qualcosa nella tua vita o nel tuo comportamento che deve essere cambiato per far nascere nuova speranza e crescita dentro di te. Chiedi a Dio di mostrarti come compiere il passo migliore verso il futuro. Decidi il momento in cui farai questo primo passo.

Quando sei pronto per portare a termine la meditazione, fai una breve pausa e diventa nuovamente consapevole del tuo respiro. Ascoltalo mentre entra nel tuo corpo. Lascia ora che la tua consapevolezza si sposti verso l'esterno e ascolta i suoni dentro la stanza. Questo riporterà la tua consapevolezza al momento presente e lontano dal tuo "io" profondo, dopo di che puoi concludere tranquillamente la meditazione.

ESERCIZIO 3

Vieni a vedere

Leggi prima la storia dal capitolo 2 del Vangelo di Giovanni:

> Un giorno due dei discepoli erano in compagnia di Giovanni Battista quando d'un tratto Gesù passò vicino al loro gruppo. Quando i due amici chiesero chi fosse questo nuovo venuto, Giovanni disse loro di avvicinarsi a Lui e di chiederGlielo. Cominciarono allora a seguirLo a distanza ma Egli si voltò indietro e li vide, così essi Gli chiesero: «Maestro, dove abiti?». Egli disse loro di andare a vedere e così essi andarono e videro dove abitava e passarono con Lui il resto della giornata.

Adesso comincia. Può darsi che ti ci voglia un po' di tempo per entrare in un'atmosfera di preghiera e forse le cose non saranno perfette come avresti sperato, ma per lo meno hai fatto il primo passo. Mentre inspiri, cerca di rilassarti e di sentirti in pace con te stesso. Sii consapevole di ogni rumore che puoi sentire all'esterno della stanza in cui stai pregando. Focalizza questi rumori e vedi se puoi isolarli, creando pace intorno a te. Porta quindi l'attenzione verso l'interno e focalizza i vari suoni nella stanza. Scegli le varie sfumature dei rumori che noti.

Porta quindi l'attenzione nel profondo di te stesso. Vedi se riesci a percepire il leggerissimo suono prodotto dal tuo stesso respiro mentre entra nel tuo corpo. Puoi forse sentire la freschezza dell'aria sulla punta del naso mentre viene inspirata profondamente all'interno.

Costruisci adesso la scena nella tua mente, come se si trattasse di un film che viene proiettato nella tua testa. Sei con uno dei tuoi amici più intimi. Per alcuni mesi ormai sei stato in compagnia di Giovanni Battista perché egli sembra dare uno scopo alla tua vita. È arrivato ora il momento di tirare le somme. Cristo è apparso, ma non è chiaro se ciò apporterà dei cambiamenti nella tua vita oppure no. Qualcosa è stato offerto, ma non deve necessariamente essere accettato. Nota per prima cosa l'aspetto di Gesù. Entra lentamente nella scena. Dapprima sembra che solo Giovanni si renda conto dell'importanza di ciò. Qualcosa – o qualcuno – ti spinge a interrogarti sullo straniero. Che cosa ti ha spinto? Ti viene ora detto di avvicinarti e vedere da te chi Egli sia. Non è un compito facile e, tu dirai, è piuttosto imbarazzante. Ma raccogli il coraggio per avvicinarti a Cristo e – meglio ancora – quando Egli fa la Sua offerta, potresti essere come i discepoli della storia. Potresti andare con Lui per l'intera giornata per vedere cosa ha da offrire. È come andare in fondo a noi stessi, nel punto più profondo del nostro essere. Un posto dove ci rechiamo molto di rado.

Mentre cominci, ti rendi conto di doverti lasciare alle spalle ciò che già conosci. Devi lasciar andare Giovanni Battista. Non sarà facile, perché è stato una buona guida e un buon maestro che ti ha insegnato molto. È stato qualcosa di solido a cui appoggiarsi. Non è facile distaccarsi da tali sostegni. Il tuo viaggio affronterà nuove sfide e andrà in direzioni diverse. Può darsi che l'inizio non sia facile, e la fine è per il momento completamente sconosciuta. Quando finirà il tuo viaggio? Troverai ciò che cerchi? Per lo meno, sai cosa stai cercando? Stai intraprendendo un viaggio e una ricerca. Almeno questo lo sai. È parte della ragione per la quale sei forse preparato a lasciare Giovanni Battista e assumerti dei rischi. Cerchi qualcuno che abbia una visione e uno scopo nella vita.

La ricerca è la ragione per cui ho lasciato Giovanni Battista e mi sono assunto dei rischi. Sono alla ricerca di qualcuno che abbia una visione, che abbia uno scopo nella vita. Qual è stata la sfida più difficile che hai dovuto affrontare quando eri con Giovanni Battista? Qual è stata la parte migliore di questi ultimi mesi, mentre cercavi di condividere la missione?

Porta ora a termine la meditazione e rilassati.

8
C'È VITA DOPO LA MORTE

> È sempre in mezzo, nell'epicentro delle tue pene che trovi la serenità.
>
> *Antoine de Saint-Exupery*

Alcuni anni fa avevo pianificato un viaggio a Calcutta, in India, per lavorare con dei ragazzi di strada. Facevo allora parte di un gruppo che mandava avanti un centro di ritiri per la gioventù e, al fine di procurare dei fondi per il progetto indiano, alcuni membri dell'Istituto ebbero una brillante idea per ottenere questi fondi. Per prima cosa suggerirono di preparare una cena "all'indiana" e chiedere poi delle offerte ai partecipanti. Proseguirono raccomandando che durante la serata venisse inclusa una parte che mi risultava totalmente nuova. Nella sua essenza l'idea era semplice, benché fosse indispensabile che coloro che avevano accettato di partecipare non ne sapessero assolutamente niente.

All'inizio della serata tre grandi tavole dovevano essere sistemate prima dell'arrivo della gente. Su ogni tavolo era stato messo un cartellino con un simbolo. Uno era chiamato tavolo "stella", un altro tavolo "triangolo", mentre sul terzo tavolo c'era un "quadrato". A mano a mano che gli ospiti arrivavano, a ciascuno veniva dato un biglietto con un quadrato, un triangolo o una stella. L'idea era che ognuno doveva trovare, non appena arrivato, il rispettivo tavolo e quindi sedersi lì. La gente lo fece e il pasto ebbe inizio.

Gli organizzatori che servivano le vivande arrivarono dapprima con dei piatti di cibo delizioso e si diressero verso il tavolo "stella". Servirono a quel tavolo tutte le leccornie immaginabili e tornarono quindi velocemente con una seconda selezione di cibi che però erano leggermente meno gustosi dei precedenti. Questi furono presentati al tavolo "quadrato". I camerieri arrivarono quindi con una terza serie di piatti. Erano queste delle vivande molto semplici e vennero servite al tavolo "triangolo". Dapprima non ci furono molti commenti perché la gente credette che forse il cibo migliore era terminato, e anzi, tutti si sentirono un po' imbarazzati per gli organizzatori. Ciò che non sapevano era che la cena – e forse più precisamente l'intera serata – conteneva un messaggio segreto. Nella mente degli organizzatori, i visitatori erano stati raggruppati in tre settori. Essi facevano parte o del Primo o del Secondo o del Terzo Mondo, a seconda del gruppo di appartenenza di ciascun invitato, e questo era stato deciso piuttosto arbitrariamente basandosi sul biglietto che ciascuno aveva preso all'entrata. Quei biglietti stabilivano in quale settore o a quale tavolo ci si doveva sedere. E a seconda del tavolo al quale ti sedevi, venivi trattato come un re, come un normale cittadino o come un mendicante.

Mormorii di insoddisfazione cominciarono a levarsi malevolmente a metà della cena o per lo meno fu allora che coloro che servivano a tavola cominciarono a notare come l'atmosfera si stesse raffreddando. Sospetto che il messaggio di "classe" e di "trattamento di classe" cominciava a essere a poco a poco percepito. Venne servito il dolce. Ancora una volta quelli che sedevano al tavolo "stella" furono serviti prima degli altri, mentre i camerieri arrivano da ogni lato portando vassoi di *Alaska* al forno. Dopo venne servito il tavolo "quadrato" con gelato e gelatina. Non si trattava di un dolce buono come quello servito al primo tavolo, tuttavia era discreto. Dopo un intervallo, i camerieri tornarono. Questa volta portavano delle banane, che gettarono con noncuranza sul tavolo "triangolo" passando velocemente.

Il messaggio era ora veramente forte e brutale e quelli seduti al terzo tavolo cominciarono a risentirsene. Avevano contribuito finanziariamente nella stessa misura degli altri e non vedevano la ragione per essere trattati in modo così spregiativo. Alcuni degli ospiti al tavolo "stella" – non molti, solo alcuni – notarono la situazione dei loro "compari" del terzo tavolo e si recarono da loro con gli avanzi delle loro leccornie. Tuttavia questo non calmò coloro che si sentivano emarginati e alcuni più turbolenti di altri, cominciarono ad andare al tavolo migliore per arraffare tutto quello che potevano. Il resto della serata è per me avvolto da una specie di nebbia oscura. Ciò che posso dire per certo è che l'atmosfera divenne sempre più ostica e negativa e si cominciarono a sentire i mormorii per "sistemare la faccenda".

Dopo, come parte dell'intrattenimento per la serata, fu proiettato un film sui bambini di strada e sul modo in cui vivevano e sopravvivevano nelle strade di Calcutta. La serata prevedeva che alla proiezione sarebbe dovuta seguire una discussione sugli avvenimenti, durante la quale l'intero gruppo avrebbe dovuto riflettere su quanto era accaduto nel corso della cena. Ma questo non si verificò mai. Le persone sedute al terzo tavolo erano convinte – ed erano in parte giustificate – di essere state trattate in modo abominevole. Uno o due di essi erano talmente irritati che, durante il film, presero a tirar calci alla spina elettrica del video per farla uscire dalla presa. Erano decisi a far sì che i loro sentimenti non passassero inosservati e, per non peggiorare le cose, dovemmo abbandonare l'idea di andare avanti col programma. A dire la verità, gli organizzatori si ritennero fortunati di terminare la serata senza che si verificasse una rissa.

Quando ho riflettuto in seguito, mi è sembrato che si fosse sviluppata un'atmosfera decisamente negativa nel corso di quella serata. La cena, e coloro che vi avevano partecipato, avevano portato alla luce un'antipatica verità di fondo. Una parte del gruppo aveva ricevuto un trattamento ingiusto, ma questo non è insolito. Molti di noi, in un momento qualsiasi della vita, soffriranno per qualcosa di simile e si sentiranno trattati duramente. Tali situazioni, se ci riflettiamo sopra, possono insegnarci una lezione. Il modo in cui reagiamo a queste situazioni ci dice parecchio su noi stessi e, se esaminiamo le nostre reazioni in simili episodi della nostra vita, ne saremo illuminati. Coloro che permettono al risentimento per le ingiustizie di suppurare dentro di loro, scopriranno che il risultato sarà solo un assoluto disastro. L'importante non è tanto la situazione attraverso cui siamo passati, quanto la nostra reazione. Se non perdoniamo o se non sappiamo perdonare e liberarci dal risentimento, le persone maggiormente danneggiate dal nostro conseguente comportamento saremo proprio noi.

Non è cosa semplice riflettere sulle situazioni tristi o dolorose della nostra vita, ed è più facile parlare che riuscire a trarne qualcosa di costruttivo. È necessario un notevole equilibrio, unitamente a una certa consapevolezza dei nostri limiti. Uno che ebbe questa coscienza – l'antico filosofo greco Socrate – fu definito l'uomo più saggio del suo tempo, ma egli diceva di se stesso che aveva la reputazione di essere saggio solo perché era consapevole di quanto fosse ignorante. Questo è il livello di autoconsapevolezza che cerchiamo, ma non molti esseri umani raggiungono questi livelli di saggezza o di intelligenza. Quasi tutti si rinchiudono in una specie di schema mentale fisso e non hanno grande speranza di comprendere a fondo il significato degli episodi più neri che si abbattono su di loro nel corso della vita. Molti di noi sospettano che, se accade qualcosa di brutto, non ne risulterà niente di veramente prezioso. Perciò troviamo inconcepibile che gli sfortunati incidenti che ci capitano possano contenere un dono nascosto, se ci riflettiamo sopra. Dimentichiamo che le ostriche hanno costantemente bisogno dei fastidiosi granelli di sabbia per produrre le perle, e il fatto che noi cerchiamo di sradicare dalla nostra vita più ricordi dolorosi possibile significa che è decisamente raro che riusciamo a ottenere "perle di saggezza" dalle nostre più difficili esperienze quotidiane. La programmazione ricevuta riesce a persuaderci che il nostro "lato in ombra" non può essere produttivo e abbiamo la sensazione che i nostri fallimenti del passato debbano ripetersi.

Non è facile ascoltare la voce interna della speranza. Quella voce può sussurrare parole di incoraggiamento e perfino indicare i modi per andare avanti in maniera positiva nella vita, ma non è una voce che ci viene data da ascoltare gratuitamente. Ci vuole molto lavoro duro e coraggio per capire chi sei e che cosa vuoi. Vedere il lato positivo in una brutta situazione richiede spesso acutezza, unitamente all'abilità di non rimproverarti. Gli esseri umani sono come fiori. Si aprono e sono ricettivi verso la rugiada che cade delicatamente, ma si proteggono e si chiudono immediatamente quando una violenta pioggia li minaccia. Questo è il modo in cui anche l'uomo medio reagisce, per cui dobbiamo restare costantemente all'erta per intuire dove sono le "aree di crescita" quando si presentano. Sfortunatamente, come regola generale, è più facile essere consapevoli del punto in cui si può verificare un fallimento che prestare attenzione alle possibili occasioni di successo. Invece di mettere enfasi sulle nostre forze, facciamo maggiore attenzione alle nostre debolezze.

Ciò mi è stato recentemente dimostrato in modo molto chiaro quando Johnny Giles, uno dei più famosi ex giocatori di calcio irlandesi, fu intervistato da una radio locale. Gli venne chiesto come era riuscito a ottenere il meglio da se stesso. Trovo che la sua risposta fu tanto onesta quanto illuminante. Con modestia spiegò che molti giocatori, potenzialmente migliori di lui, non gli sembrava avessero raggiunto una vera grandezza. E quel che era ancora peggio, non ottennero mai quello che meritavano per il loro talento. Disse poi: «Vi dico cosa ho scoperto circa i giocatori veramente grandi, quando anch'io ero sulla cresta dell'onda. Quelli veramente bravi sapevano cosa potevano fare con un pallone e avevano fiducia nello sfruttamento del loro talento. Cosa ancora più importante, sapevano cosa non potevano fare e non tentarono mai l'impossibile. I cattivi giocatori, d'altro canto, sembravano cercare sempre di fare ciò che sapevano di non essere in grado di fare. A questo errore univano il fatto di non fare le semplici cose che erano invece capaci di fare. Alla fine ottennero ben poco, o niente addirittura, riducendo il loro talento a cibo per cani». Giles disse che, secondo lui, questa caratteristica non si applica solo ai calciatori, ma si può riferire anche a molte altre professioni. La gente insiste nel cercare di fare cose di cui non è capace, mentre ignora o non fa quello che è invece perfettamente in grado di fare. Ne consegue che ottiene molto meno di quello che dovrebbe.

Una cosa da cui dovremmo guardarci e contro cui dovremmo lottare è permettere che il lato oscuro della nostra personalità prenda il sopravvento nella nostra vita. Il famoso scrittore di spiritualità Henri Nouwen ha detto che questo argomento gli veniva di tanto in tanto in mente quando si trovava a riflettere sulla propria vita. Ha detto che la preghiera lo ha aiutato a riconoscere sia le sue debolezze sia i suoi punti di forza. Non c'era praticamente un solo giorno in cui non apparisse una nuvola scura. Per mezzo della preghiera e della riflessione, egli riconosceva l'oscurità e la depressione per ciò che erano e rifiutava di immettersi in un'atmosfera così triste. Aveva scoperto che il trucco consisteva nell'identificare la tenebra mentre avanzava verso di lui e, anticipando con astuzia dove queste macchie di tristezza si sarebbero verificate, se ne allontanava velocemente, evitando così queste zone potenzialmente dannose. In questo modo non permetteva alla tristezza incombente di trasformarsi nella malattia che più temeva, la depressione.

Un mio amico, che è anche un noto direttore spirituale, ha di recente menzionato un certo numero di ragioni per le quali alcuni dei suoi studenti erano riluttanti a fare uso di tale saggezza. Egli lavora con i novizi di un ordine religioso e ha detto che essi spesso trovano difficile vedere l'orlo argentato sul bordo di nuvole nere e se ne è chiesto la ragione. Sapeva che a C.S. Lewis piaceva rimarcare che il buono e il cattivo coesistono fianco a fianco nel nostro mondo e sembra che ambedue siano sempre in gara per la supremazia. È come se Dio e il diavolo fossero continuamente in conflitto. Dio è sempre di stimolo al bene che facciamo mentre Satana e le sue coorti hanno in mente un piano diverso. Il loro compito è dare fastidio, frustrare e distrarre a ogni occasione e, se possono istillare paura e disperazione in coloro che si sforzano di volgere il volto verso il regno di Dio, tanto meglio.

Nel suo libro di esercizi spirituali, sant'Ignazio punta l'attenzione sulla lotta fra i protagonisti del bene e del male. Ha fatto notare che, nella vita, tutti incontrano disillusioni e nuvole nere. Satana lo sa molto bene e usa questo fatto per organizzare il suo piano. Se ci può disilludere e fermarci sul nostro cammino, sa che il progresso nella preghiera sarà lento o addirittura inesistente.

Il mio amico ha anche suggerito che c'è una seconda ragione per spiegare la mancanza di progresso nella preghiera. I raggi di speranza e i momenti di consolazione che esistono nella vita di alcune persone sono nascosti molto bene o non sono riconosciuti dagli interessati, per cui risultano praticamente invisibili. Ha detto che una possibile terza causa per non riconoscere il potenziale contenuto nelle difficoltà della vita è che siamo forse accecati dalla nostra stessa rabbia. A nessuno fa piacere riconoscere che in lui, o in lei, esiste la rabbia. Per la maggior parte di noi, tuttavia, questo tratto è una dolorosa realtà. Allora, come possiamo trattare saggiamente la nostra rabbia?

Mentre parlava ai novizi, il mio amico suggerì che si potevano fare tre passi costruttivi. Prima di tutto, dobbiamo "possedere" la nostra rabbia. In secondo luogo, dobbiamo capire da dove viene e perché viene. Solo allora, dopo aver superato questi due stadi, possiamo cominciare a trattare con la nostra ira interiore. Molti esseri umani sembrano avere accumulato anni di ira repressa. So di aver difficoltà a riconoscere questo tratto in me stesso perché sembra una caratteristica tutt'altro che attraente. Si esprime a volte come soppressione, dogmatismo, aggressività e perfino violenza. Odiamo in noi questi elementi e cerchiamo di rinnegarli. In qualche posto, nei profondi recessi dei nostri ricordi, capiamo vagamente che il passato da noi vissuto, mentre ha indubbiamente le sue zone di arricchimento, ci ha lasciati con delle zone d'ombra che ci perseguitano fino al momento presente.

Può darsi che alcuni fra i nostri primi ricordi non siano stati buoni. Possono essere stati spaventosi o tristi ed è probabile che si siano lasciati dietro un deposito di tristezza interiore. Tale tristezza è un'afflizione del cuore e – se le viene permesso di svilupparsi in depressione – può diventare un'afflizione dell'anima. Sei mai stato preda, in alcuni momenti, di stress insopportabile, perdita o bisogno di qualcosa e, se sì, ha ciò lasciato un residuo nocivo dentro di te? Ripensa ai momenti di stress nella tua vita e rimugina sulle frustrazioni che ti ha causato.

Spostati ora verso la perdita. Quali perdite hai subìto nella tua vita? Per molti di noi c'è un certo numero di perdite inevitabili che includono la giovinezza, l'indipendenza, l'autorità, la salute, o la perdita di una persona cara. Se cerco di selezionare una di queste perdite, forse la più naturale da accettare, benché indubbiamente dolorosa, è la morte e il lutto. Un lutto normale, secondo gli esperti, dovrebbe durare circa tre mesi, ma il mio senso di perdita dura più di così? Gli esperti dicono che, se il senso di depressione dura più di sei mesi, è tempo che si guardi a noi stessi. Può darsi che non guardiamo al di là della morte e dell'oscurità. Abbiamo dimenticato che, per i cristiani, l'oscurità di solito associata alla morte si suppone che conduca, al momento opportuno, verso la luce.

Ho avuto occasione di pensare a questo recentemente, quando mi è stato affidato un compito difficile. Una madre aveva dato alla luce un bambino prematuro, che nacque morto, e i direttori del funerale mi chiesero di condurre un servizio funebre molto tranquillo, perché così la madre desiderava. L'impresario delle pompe funebri mi venne a prendere col carro funebre all'ingresso del cimitero e, poiché era una persona semplice, si mise a chiacchierare piacevolmente mentre ci dirigevamo verso la fossa aperta. La sua conversazione aveva lo scopo di farmi sentire a mio agio nel suo ambiente e, in modo casuale, egli disse: «Sa, i miei clienti non si lamentano mai del tipo di servizio che il sacerdote celebra. È una buona cosa sapere che non c'è niente che possa essere fatto dopo che sei morto che possa procurarti un vantaggio o causarti danno». I suoi sentimenti mi lasciarono di stucco. Quello che aveva detto era abbastanza sensato da un certo punto di vista, ma non dal punto di vista di un cristiano. Infatti è proprio l'opposto di ciò che il cristiano dovrebbe credere circa la vita e la morte.

Per un cristiano la morte non è la fine: in realtà, è un nuovo inizio. Ci permette di essere ottimisti perché crediamo che dopo venga qualcosa di più grande. Un nuovo passaggio della vita che ha un magnifico potenziale per coloro che sono dipartiti e per coloro che restano. Ambedue hanno dei compiti da portare a termine. Chi è morto continua il suo viaggio e chi resta può fare qualcosa per aiutare chi è andato incontro al suo destino. Quando chi è deceduto raggiunge la pienezza della sua gloria, si spera che si ricordi di noi e usi la sua nuova posizione per aiutarci nel nostro viaggio. Se sopportiamo le tenebre con speranza e coraggio, esse ci porteranno sicuramente verso la luce e ci aiuteranno a renderci conto che un giorno un gruppo di nostri amici si recherà al cimitero, dove verrà tenuto un breve e triste servizio dopo il quale tutti se ne ritorneranno a casa tranne uno. Quell'uno sarai tu o sarò io, perché quell'avvenimento sarà stato il nostro funerale.

Un gruppo di persone che cercano di trarre "la luce dall'oscurità" sono gli alcolizzati in via di guarigione. Il loro coraggio e la loro tenacia sono una fonte di ispirazione ogni volta che ho occasione di lavorare con loro e recentemente ho notato che – durante una mia conferenza – determinati argomenti sembravano venire alla luce ogni volta che essi si trovavano insieme. I temi del dolore, della perdita, della tristezza, dell'odio di se stessi, della rabbia erano in prima linea a mano a mano che le persone cominciarono a raccontare le loro storie individuali. Quasi tutti quelli che si alzarono per rendere testimonianza menzionarono il fatto di aver tentato di nascondere in tantissimi modi il loro dolore personale. Alcuni avevano provato con le droghe, altri lavorando eccessivamente, mentre altri avevano usato la televisione come mezzo per allontanare il dolore. Un piccolo numero di essi aveva persino provato con un'eccessiva attività fisica allo scopo di sentirsi esausti. Se nessuna di queste pratiche aveva funzionato, quelli che avevano parlato dissero che erano preparati a usare l'alcol per far diminuire il dolore procurato dal vivere. Ma anche questo non fu di aiuto. In qualche luogo, nel profondo del loro essere, una vocina continuava a ripetere che tutti i tentativi di anestetizzarsi significava anche bloccare i sentimenti di gioia.

È difficile avere la sensazione della luce senza una certa forma di ombra come contrasto. Anthony De Mello ha dichiarato che solo quando le persone ammalate si rendono conto e accettano il fatto di essere ammalate hanno la possibilità di guarire e andare avanti. Solo quando si stancano della malattia si creano una opportunità di muoversi verso la salute. Molti, egli diceva, non vanno dal dottore per essere curati. Non hanno un vero interesse nel farsi rimettere in sesto. Per prima cosa sono alla ricerca di un sollievo alle loro preoccupazioni. Lo so che questo può sembrare assurdo quando lo senti per la prima volta e la tua reazione immediata sarà quella di non crederci. Questa fu certamente la reazione di molti di coloro che partecipavano ai seminari e ai ritiri di De Mello trasmessi in televisione. È molto interessante osservare le loro reazioni quando vengono sfidati sullo schermo da una simile asserzione. Alcuni sono increduli. Molti si arrabbiano e rifiutano di credere che ciò che egli dice possa essere vero. Pensaci un momento anche tu. Quando hai avuto dei problemi e sei andato a cercare una cura, eri veramente pronto a prendere le medicine necessarie affinché si verificasse un miglioramento della situazione?

Bene, forse è più saggio che tu non pensi alla tua storia. Spesso è più facile guardare alle situazioni in cui si trovano gli amici. Giudica la verità di quella dichiarazione guardando loro e le loro azioni. È più facile capire e accettare delle verità attraverso le storie di altri piuttosto che attraverso la propria. La saggezza del messaggio è così dolorosa che spesso non riusciamo a vederla rispecchiata nella nostra situazione personale. Gli esseri umani sono creature suggestionabili. Spesso non diciamo a noi stessi la verità. Nel profondo abbiamo paura che, se ammettiamo con noi stessi che possiamo essere malati, ciò possa limitare la nostra abilità di muoverci verso la guarigione. La nostra mente può orientarsi verso la sconfitta. La disperazione può trasformarsi in una profezia che si avvera, come ammettono onestamente parecchi campioni sportivi e attori. Bob Dylan, il grande cantante americano folk dallo strepitoso successo, ha detto che, al culmine della sua fama, fu fischiato fuori del palcoscenico a Faifax, dopo aver presentato al pubblico un nuovo tipo di musica, e ciò non fu certamente piacevole. Fu abbastanza saggio da commentare: «Non ti puoi preoccupare di cose come questa. Non sei veramente nessuno se qualche volta non ti fischiano».

Perciò è probabile che una volta ogni tanto i "fischi" della vita capitino anche sulla nostra strada. La loro importanza non risiede tanto nel fatto che si presentano sulla soglia della nostra casa, quanto il tipo di reazione che avremo. L'attivista americano Saul Alinsky era solito dire: «L'azione è la reazione», e aveva ragione. L'essenziale è il modo in cui reagiamo. I momenti di abbattimento ci fermano o ci incoraggiano ad andare avanti con maggiore risolutezza? Osserva Gesù nei momenti di avversità. Quando persone con grossi problemi si recavano dal Salvatore, Egli sembrava suggerire che il Suo compito fosse quello di incoraggiare e dare forza all'agire invece di permettere alle persone di sviluppare un blocco mentale. Egli sfidò ognuno, benché sapesse che spesso l'andare avanti non è piacevole.

Da quanto non ho accettato una sfida nella mia vita e assunto dei rischi? È da molto tempo che non cammino ai margini della strada invece che al centro più sicuro della carreggiata? Il saggio non sempre teme le frange o i margini. Li studia e talvolta li esplora, perché spesso è proprio il trovarsi alla periferia che alla fine conduce alla crescita. Gli orli o i margini, secondo l'opinione comune, sono di solito più pericolosi del solido terreno al centro, e restare alle estremità, piuttosto che chiusi in uno spazio centrale sicuro, richiede un particolare tipo di coraggio.

In Cina, i genitori raccontano spesso ai bambini una storia popolare per creare o rivitalizzare in loro questo tipo coraggio di cui sto appunto parlando. Raccontano che esisteva una volta nel loro paese un enorme drago temuto da tutti. Andava di villaggio in villaggio, uccidendo cani e bestiame, ma non solo. Qualsiasi cosa si trovasse sul suo cammino veniva indiscriminatamente divorato, inclusi i bambini. Gli abitanti dei villaggi erano talmente disperati che chiamarono un mago saggio e buono affinché li aiutasse in questa disgraziata situazione. Durante la discussione, quel mago gentile disse loro una semplice verità: «Devo essere onesto e dirvi che non posso uccidere il drago perché, benché io sia un mago, anch'io ho paura, ma troverò una persona in grado di esaudire il vostro desiderio». Dopo aver detto ciò, si trasformò egli stesso in drago e si sistemò su un ponte che conduceva al paese. Ciò significava che tutti quelli che arrivavano là, inclusi gli abitanti del luogo che non sapevano si trattasse del mago, restavano pietrificati, e nessuno aveva il coraggio di passare. Trascorsero dei mesi. Un giorno un viaggiatore passò per caso da quella strada e andò sul ponte. Notò il drago ma lo scavalcò tranquillamente prima di continuare il suo viaggio. Non appena il mago vide ciò, assunse immediatamente di nuovo le sembianze umane e chiamò l'uomo: «Torna indietro, amico, tu sei proprio la persona che aspettavo. Il tuo coraggio è ciò di cui abbiamo bisogno per risolvere il nostro dilemma». I cinesi dicono che la morale della favola è che la persona illuminata sa che la paura risiede nel modo in cui guardi le cose, e non nelle cose stesse.

Così, per viaggiare lungo i margini, e non al più sicuro centro, c'è bisogno di una certa fiducia, il tipo di fiducia che Gesù stesso mostrò ai Suoi discepoli, ma non a tutti. Gesù sapeva di chi fidarsi e di chi dubitare. Si fidava di Pietro, ma non di Giuda. Chiedi perciò a te stesso: «Com'è la mia fiducia? Quando mi sono fidato del mio istinto e ne sono poi stato contento? Sono stato sveglio o addormentato di fronte alle possibilità intorno a me?». Ci vuole pratica e diligenza per restare svegli. Bisogna essere come il fabbro che ho osservato una volta lavorare seduto al suo tavolo. I suoi sensi erano all'erta e vivi mentre lavorava. Gli era stata portata una serratura, ma le chiavi mancavano, per cui egli cominciò pazientemente a darsi da fare intorno alla serratura inserendovi un filo di ferro. Con la più grande attenzione verso ogni particolare, egli ascoltò ogni suono prodotto dal filo di ferro mentre si muoveva all'interno della serratura. Azione e suoni non avevano per me alcun significato, né sentivo niente, ma questo perché i miei sensi erano addormentati. Il fabbro, d'altra parte, era sveglio e i suoi sensi erano del tutto in accordo con il lavoro che stava facendo. Entro breve tempo e sotto la sua abile azione, la serratura si aprì. Il fabbro era stato capace di interpretare i dati che aveva di fronte. La sua capacità aveva funto da chiave. Fa' sì che la tua consapevolezza ti faccia raccogliere benefici simili.

ESERCIZIO 1

Le tue benedizioni giornaliere

Sistemati in una posizione comoda e respira alcune volte lentamente e profondamente. Comincia a contare silenziosamente fino a quattro a mano a mano che inspiri ed espiri. Continua con questi respiri lenti e profondi per un paio di minuti. Limitati a restare tranquillo e senti la calma che filtra dentro di te mentre percepisci il ritmo naturale del tuo respiro. A volte è utile commentare dentro di te mentre conduci l'esercizio. Seguendo il passo del respiro, ripeti: «Ora sto inspirando, ora sto espirando».

Devi conoscere te stesso e sapere che cosa ti aiuta nella preghiera. Per esempio, io resto influenzato dalla quantità di luce intorno a me e so che un'illuminazione soffusa mi aiuta nella meditazione. Credo che anche gli altri restino ugualmente influenzati e trovano difficile rilassarsi con una luce forte e brillante. Se la luminosità è troppo intensa, puoi chiudere le tende e usare una piccola lampada. Non vorrei mai fare una meditazione con una luce al neon come sfondo. Molte persone usano una candela e si servono della delicata fiamma danzante per produrre in se stessi uno stato di rilassamento. Potresti concentrarti sul guizzo della fiamma tenendo gli occhi semichiusi al momento di cominciare. In questo modo vedrai probabilmente le minuscole schegge di luce emanate dalla candela e può esserti utile pensare che sono la luce dello Spirito che entra in te.

Puoi iniziare recitando una delle tue preghiere preferite, qualcosa come: «Grazie, Signore, per il Tuo grande amore» oppure: «Gesù, ricordati di me, quando verrai nel Tuo Regno». Ricorda che Dio sta sulla porta del cuore di ognuno e, nel farlo, bussa. Alcuni non sentono mai questo bussare. Altri lo sentono solo quando invecchiano o quando sono in guai seri. Altri ancora sentono ma non rispondono perché temono il prezzo che Gesù chiederà loro. Hanno paura di non poter più godersi la vita se lasciano entrare Dio. Quello che non riescono a capire è che proprio Dio è la felicità che stanno cercando. Se tentano di pregare, lo fanno rivolgendosi verso l'alto, non verso l'in terno. In questi pochi momenti di preghiera, cerca di immaginare Cristo attivamente all'opera dentro di te, mentre offre le Sue benedizioni a tuo beneficio. Ringrazia per tali benedizioni e chiedi di ricevere la grazia di cui hai bisogno per rispondere alla Sua chiamata.

ESERCIZIO 2

Fai amicizia con te stesso

Comincia come al solito col rilassarti. Mentre stai seduto, inizia a pensare al corpo che ti è stato dato e alla vita che riesci a vivere. Mentre lo fai, come ti senti? Cerca di capire se provi gioia o tristezza a mano a mano che procedi con l'esercizio.

Sforzati di dare una risposta gentile e amichevole nei riguardi di te stesso. Può aiutarti il recitare questa preghiera: «Quanto sono fortunato, quanto mi sento grato». È una preghiera che recitava Juliana da Norwich. Cerca di mantenere questa sensazione di gratitudine e, se ti pare che diminuisca, industriati a ricrearla dentro di te.

Porta adesso di fronte alla tua consapevolezza l'immagine di un buon amico che hai conosciuto. Esegui uno schizzo mentale di questo amico e fallo ricordando il suo comportamento nei tuoi riguardi nella realtà, ad esempio nel corso di una conversazione, di un incontro o di un evento. È meglio che tu scelga qualcuno che ti è vicino per età e non qualcuno che sia molto più vecchio o molto più giovane di te. Cerca di sviluppare sentimenti di gratitudine e di ringraziamento.

Spostati ora verso qualcuno che evoca in te dei sentimenti più neutrali dell'amico che hai precedentemente immaginato. Questa sarà una persona che né ti piace né ti dispiace in modo particolare. Può darsi che dapprima tu non provi alcun sentimento. Cerca tuttavia di accettare qualsiasi sentimento affiori alla superficie. Datti da fare per migliorare queste blande sensazioni e dirigerle verso una direzione positiva per quanto ti è possibile. Chiedi che a questa persona accadano delle cose positive. Quando sei pronto, rivolgi l'attenzione verso una persona con la quale ti pare di non avere una buona relazione, una persona che ti infastidisce e che ti irrita parecchio, che non ti piace e che sembra non avere una grande opinione di te. Diventa consapevole dei sentimenti che affiorano dentro di te a mano a mano che li porti alla superficie. Probabilmente penserai a come ti sentirai immaginando di farne esperienza, ma limitati a considerare i sentimenti che realmente emergono. Per quanto puoi, cerca di abbandonare ogni sentimento di acredine e di animosità che emerge come bile in bocca. Tali sentimenti sono più dannosi per te che per la persona contro cui sono rivolti.

Per la parte finale di questa meditazione, cerca di immaginare tutti e quattro i personaggi (te stesso, il buon amico, la persona neutrale e l'individuo che non sopporti) insieme in un gruppo. I tuoi sentimenti e auguri per il tuo amico saranno caldi e generosi, ma sforzati di invocare il bene anche per gli altri. Prega affinché il Signore guardi favorevolmente verso di loro e doni loro la Sua grazia. Chiedi che cose positive accadano a colui che disprezzi nella stessa misura in cui tu le auguri al buon amico. Continua per un po'.

Quando sei pronto, porta gradualmente a termine la meditazione. Non concludere troppo bruscamente perché questo potrebbe rovinarti lo stato d'animo e lasciarti con una sensazione spiacevole. Resta per qualche minuto in silenzio, in una specie di oasi di pace. Talvolta può volerci un po' di tempo affinché il frutto di questa meditazione penetri dentro di te ed è possibile che tu debba lavorare parecchio per scoprire in che modo ti abbia segnato.

9
TRATTARE CON LA MORTE

Non aspettare il Giudizio Universale. Si verifica ogni giorno.

Albert Camus

In Oriente si racconta una storia che vuol essere un avvertimento. Parla di un signore che mandò il suo servo al mercato a comprare delle provviste. Poco tempo dopo il servo fu di ritorno, pallido e preoccupato. Quando gli fu chiesto che cosa avesse, rispose che per la strada aveva incontrato un orribile straniero. Questo personaggio era l'immagine della morte stessa. Peggio ancora, sembrava che lo straniero sapesse chi fosse il servo e che volesse approfondire la conoscenza. Il poveretto chiese al padrone di prestargli un cavallo veloce affinché potesse allontanarsi il più possibile da quell'immagine di morte, perché credeva che, se avesse potuto fuggire dal luogo in cui al momento si trovava, avrebbe potuto evitare di cadere nelle grinfie di quel personaggio. Il generoso padrone fece ciò che gli era stato chiesto: gli diede il cavallo e il servo partì. Dopo qualche tempo anche il signore ebbe occasione di recarsi al mercato e fu sorpreso nel vedere la stessa figura della morte che si aggirava là attorno. Turbato, affrontò la morte e le chiese perché aveva guardato il suo servo in modo tanto minaccioso. «Ma non si trattava di uno sguardo di minaccia» rispose la morte, «era uno sguardo di sorpresa. Non mi aspettavo di trovare il tuo servo qui. Infatti, ho un appuntamento con lui questa sera, ma in un posto a parecchi chilometri da qui.»

Tutti abbiamo un appuntamento con la morte. È una delle poche cose di cui possiamo essere certi. È interessante vedere quanti di noi cerchino di spingere questo fatto il più lontano possibile. Nella vita di tutti i giorni ci sono innumerevoli fattori che indicano l'approssimarsi della dipartita. Se ci prendiamo la briga di guardare, possiamo scorgerli nel cambiamento fisico, in una vista indebolita, nei capelli ingrigiti, nel corpo cascante, nella perdita di energia, per non parlare di un rallentamento generale del metabolismo. Varie parti del corpo cominciano a non funzionare bene, e questo significa che la morte si sta avvicinando, ma noi continuiamo ad andare allegramente avanti, affondando la testa nella sabbia. Non anticipiamo, non pianifichiamo, e non cambiamo. Può darsi che anche un altro tipo di morte si stia avvicinando, e ciò non è altrettanto evidente. È il tipo di morte che ti rode dall'interno e che può essere paragonato a un'insolita medusa che vive nelle acque di Napoli. Queste meduse sono circondate da pericoli senza che se ne rendano conto. Il pericolo risiede in una categoria di cibo che si trova dappertutto intorno a loro, una varietà locale di lumache dal guscio particolarmente duro. Se la medusa mangia una di queste lumache, comincia il pericolo. Non può digerire il guscio e, peggio ancora, non appena ingerita, la minuscola lumaca comincia a mangiare la medusa dall'interno. A meno che la medusa non riesca a vomitare la lumaca, la piccola creatura la porterà verso la distruzione e la morte.

Nel corso della vita, tanti eventi e situazioni si verificano costantemente intorno a noi. Alcuni sembrano arrecarci beneficio. Altri sono meno utili. Ma chi può dire se tali eventi ci porteranno vita o morte, gloria o disgrazia?

Recentemente è stato condotto in Inghilterra uno studio per vedere come le ragazze di diciasette anni se la cavino nella società attuale. È sembrato ai ricercatori che mai le opportunità per le ragazze di questa età siano state più brillanti. Percentuali sempre maggiori di costoro restavano a scuola, più dei ragazzi, e i loro risultati accademici erano migliori della loro controparte maschile. Sembrava una situazione idilliaca. Tuttavia i risultati hanno dimostrato che queste supposizioni erano false. Ciò che sembrava benefico aveva un lato negativo. Questo scioccante studio condotto da Patrick West e Helen Sweeting dell'Università di Glasgow ha mostrato che si sta manifestando un'allarmante tendenza fra le ragazze della buona società nella zona di Londra, le quali si sentono costantemente ansiose e depresse. Paragonate a solo sedici anni fa, le ragazze si sentono drammaticamente peggio, e questo è motivo di preoccupazione. West ha misurato i livelli di ansietà e di depressione con due grossi campioni rappresentativi nel 1987 e di nuovo nel 1999. Nella categoria lavorativa non c'era troppa differenza nei livelli di stress che ha esaminato, mentre negli strati economicamente più elevati l'aumento del livello di stress si è alzato terribilmente. Secondo il rapporto, le ragazze nella fascia tra i tredici e i diciannove anni di età erano dal ventiquattro per cento al ventotto per cento più infelici di quanto non lo fossero nel passato. È sorprendente che, considerando il periodo preso in esame, non c'è stato un aumento di infelicità nei giovani maschi di qualsiasi classe economica, benché sia difficile spiegarne la ragione precisa. Forse i ragazzi sono usciti dal circolo della competitività. Le ragazze, comunque, si sentivano in certo qual modo dirette da altre forze. Avevano la sensazione di essere obbligate a riuscire vincenti e cercavano disperatamente di compiacere gli altri. Tali fattori hanno creato sia stress sia odio di se stesse. Quello che era sembrato una benedizione – l'emancipazione – si era rivelato molto meno positivo di quanto avevano creduto o sperato. Per riguadagnare l'equilibrio è necessario un cambiamento.

Il tempo per tale cambiamento non è quando le nostre forze sono diminuite, la nostra capacità di decisione indebolita, i nostri spiriti demoralizzati e le nostre speranze dissolte, ma piuttosto quando siamo ancora flessibili. Anche in natura ci viene dimostrata questa verità. Un certo tipo di ragno, ad esempio, non è inflessibile e non si intestardisce. Non costruisce la tela fra due oggetti solidi come ad esempio dei sassi. Sa che quando soffia il vento – perché prima o poi il vento soffierà nella vita degli insetti come in quella degli umani – venire colpito in una posizione così rigida significa il disastro. La tela verrebbe distrutta. Sceglie invece di filare la sua tela fra due oggetti mobili come ad esempio dei fili d'erba.

Quando ritornano tempi migliori, assume di nuovo la sua forma precedente. Possiamo imparare da questo esempio.

Guarda a Cristo come a un modello. Egli voltò sempre il viso verso il futuro e parlò con i Suoi discepoli di ciò che avrebbe potuto accaderGli. Qualsiasi cosa preparasse per Se stesso, certamente cercava di preparare anche loro per qualsiasi eventualità. Sapeva che il tempo della preparazione era mentre il Salvatore era ancora con loro, quando cioè essi erano, per così dire, ancora in buona salute. Sarebbe stato troppo tardi iniziare il rinnovamento quando Egli non sarebbe più stato in mezzo a loro. La Sua scomparsa, a meno che non ci fosse stata una preparazione, si sarebbe portata via ciò di cui essi avevano più disperatamente bisogno, l'entusiasmo e il coraggio di andare avanti. Cristo sapeva che il tempo di pianificare era mentre si sentivano entusiasti, ancora vibranti e vigorosi.

Anche quando non ci sentiamo al massimo, possiamo comunque muoverci, facendo dei passi in avanti. Il famoso regista di Hollywood Cecil B. de Mille racconta una storia di quando si trovava in vacanza nel Maine del Nord. Era una specie di vacanza all'insegna del relax, in cui passò la maggior parte del suo tempo in acqua, su una canoa. Mentre vagava qua e là notò uno sciame di scarabei che si era sistemato sull'acqua, vicino alla sua canoa. Uno di essi si arrampicò sull'imbarcazione e le zampe gli si incastrarono nel legno. Poi morì. Il regista dice di essere tornato alla lettura del suo libro ma dopo circa tre ore guardò di nuovo giù. Lo scarabeo era ancora là, si era disseccato ma, mentre guardava, accadde qualcosa. Il suo dorso si aprì ed ebbe inizio un miracolo. Cominciarono a rendersi visibili prima una testa, poi le ali, quindi un intero nuovo corpo. Una nuova creatura stava nascendo. In maniera simile a quella della fenice, cominciava a emergere una nuova vita dal corpo dello scarabeo morto. Infatti ne uscì una graziosa libellula. De Mille commentò che ciò che sembrava una tomba era stata in un certo senso il grembo di una nuova vita.

Sarebbe stato facile per de Mille vedere solo la scena di morte. Ma non lo fece. Non permise alla morte incombente di bloccare la nascita di un qualcosa di magnifico e di nuovo. Forse avete sentito parlare di un uomo che si chiama Elie Wiesel. Fu liberato dal campo di concentramento di Buchenwald nel 1945 e racconta che il tempo che visse là fu un lungo incubo. Vivere un'esperienza così orribile, dice, smorzò la sua fede. Non è facile tener fuori le tenebre ed è ancora più difficile scorgere il bordo argentato quando ci sono così tanti nuvoloni neri. Avere la sensazione della presenza di Dio nella nostra vita in tempi di dolore è un grandissimo dono. Di tanto in tanto Dio ci concede questo favore. Quando succede, sii a Lui estremamente grato. Se il dono non ti viene offerto, ricorda la preghiera irlandese: «Se riesci a mantenere verde un ramo durante un periodo privo di luce, allora il Signore verrà e ti manderà un uccello che da quel ramo canterà fino all'arrivo dell'alba». Aspetta l'alba. Non permettere alle tenebre di avanzare, perché è proprio questo che permette al male di fiorire.

Come ha magnificamente fatto notare Martin Niemöller, permettere alla crudeltà di procedere incontrastata è esattamente ciò che ha prodotto l'orrore della Germania durante l'era nazista. Molti non affrontarono le tenebre mentre ne avevano ancora l'occasione. Lo stesso Buber non fece abbastanza, quando poteva ancora esercitare qualche influenza. Vide i segni del male manifestarsi come un'orribile marea tutto intorno a lui ma non riuscì a opporsi al regime di Hitler. Quando si decise finalmente a fare qualcosa, era troppo tardi. In una famosa frase egli dice: «Quando Hitler attaccò gli ebrei, a me non interessava perché non ero ebreo. Quando attaccò i cattolici, rimasi ancora in disparte, perché non ero cattolico. Quando attaccò i sindacati e gli industriali, me ne restai tranquillo perché non ero membro di alcun sindacato. Non mi sentivo coinvolto. Alla fine Hitler attaccò me e la Chiesa protestante. A questo punto, non c'era più nessuno da coinvolgere».

Dovremmo attaccare l'oscurità e la disperazione sia che provengano dall'interno sia dall'esterno. È un errore credere che gli elementi della disperazione provengono sempre dal di fuori. Talvolta possiamo fabbricarli dall'interno. Si sa che i serpenti a sonagli, quando si trovano intrappolati, diventano così furiosi e frustrati da arrivare a mordere se stessi. Gli esseri umani manifestano a volte la stessa dannosa tendenza. Quando perdono la partita con se stessi diventano vendicativi e velenosi e finiscono col distruggersi.

Attacca il male, anche se l'impresa sembra impossibile. Riprendi coraggio dall'esempio di Alice e della regina, nel racconto di Lewis Carrol. Messa di fronte a un grande dilemma, Alice ride e dice: «Non val pena di provare, non si può credere nell'impossibile». La regina risponde: «Mi permetto di dire che non hai avuto molta esperienza. Alla tua età, io l'ho fatto per mezz'ora tutti i giorni. Sai, a volte credevo fino a sei cose impossibili prima di colazione».

Per credere e conservare la fede nell'impossibile, osserva Gesù. In una tribù indiana d'America fu chiesto a un anziano capo come mai credesse così tanto nella persona di Gesù e come mai facesse sempre dei silenziosi incantesimi per Lui. Il capo non rispose niente per un certo tempo. Poi raccolse dell'erba secca e dei ramoscelli e li sistemò in cerchio. Quindi prese in mano un millepiedi che stava mangiando in una vicina macchia di alberi. Mise il millepiedi al centro del cerchio, dopo di che prese un fiammifero e diede fuoco all'erba e ai ramoscelli. Quando il fuoco cominciò a guizzare, il millepiedi si mise a cercare una via d'uscita. Proprio quando sembrava che non ci fosse più speranza e che non era possibile trovare una via di fuga, l'anziano capo allungò il dito verso il millepiedi. L'insetto vi saltò sopra. Il capo indiano disse tranquillamente agli astanti: «Questo è ciò che Gesù fece per me. In gioventù ero come il millepiedi, mi sentivo confuso, minacciato, disperato. So che a un certo punto Gesù mi tese la mano e io l'afferrai. Mi ha salvato».

C'è chi potrebbe accusare il capo indiano di vivere in un periodo di oscurantismo. In realtà è proprio ciò che egli rifiutò di fare. Sapeva che un'epoca era chiamata oscura non perché la luce viene a mancare ma perché la gente ignora la possibilità che la luce possa cominciare a risplendere nella propria vita. Alimenta la tua fede in ogni modo possibile, e i tuoi dubbi cominceranno a morire per mancanza di nutrimento. Non è mai facile.

Padre Peter McVerry ne sa qualcosa, a proposito dell'affrontare nuvoloni neri. È un gesuita irlandese ed è conosciuto per il fatto di lavorare con i senzatetto e con i disperati. Della sua preghiera dice: «La preghiera di disperazione mi ha insegnato ad affrontare la mia propria umanità e impotenza e a lasciare che Dio sia Dio. È il Suo Regno che stiamo costruendo, non il nostro. Egli sa cosa sta facendo. È ancora in carica, il Maestro Architetto, spero. Sono i Suoi figli che muoiono, che soffrono ed Egli ha le Sue ragioni. Non so quali siano. Se lo sapessi, sarei Dio».

Viaggia perciò verso la fine con un tocco di coraggio. Non farti trattenere da alcuna tenebra del passato. La cosa più importante adesso dovrebbe essere come finirà la nostra vita. Mi piace una vignetta dei «Peanuts» che può dar coraggio a questo proposito. Mostra Lucy mentre tiene un carillon vicino all'orecchio e ascolta con grande attenzione. Dopo alcuni secondi si volta verso Charlie Brown e spiega: «Mi piace sempre cominciare la giornata con della buona musica». Charlie resta chiaramente confuso e per niente colpito. Risponde: «Non mi interessa come comincia la mia giornata. È come finisce che mi preoccupa».

ESERCIZIO 1

Pace interiore

Fai una pausa e recati in un posto tranquillo, in cui ti senti al sicuro. Siedi su una sedia dallo schienale rigido e comincia a respirare con calma. Diventa consapevole del punto di contatto fra il tuo corpo e la sedia e osserva come la sedia sostenga il tuo corpo. Mentre inspiri, nota l'aria fresca che ti riempie e fa' sì che l'azione dell'aria che entra ti tranquillizzi. Mentre espiri, lascia che ogni tensione nella zona dello stomaco si dilegui.

Immagina di andare sempre più a fondo dentro di te fino a raggiungere un luogo di riposo e di pace. È un posto in cui le preoccupazioni del mondo sembrano lontanissime. Fermati per un momento in questo luogo di pace in cui non devi fare assolutamente niente, solo abbandonarti lasciando da parte le tue preoccupazioni. In questa intimità, sei vicino alla tua più profonda saggezza, sei cioè vicino alla parte di te che è accorta e intuitiva e che conosce le tue necessità. Si crede spesso che in meditazione il subconscio agisca come un "guida interiore" o come un "angelo custode".

La nostra guida interiore indica spesso che «andare di corsa e darsi da fare», anche se sulle prime sembra appagante, può a volte essere solo un modo per riempire le nostre giornate, una scusa per ovviare alla paura di fermarsi a riflettere; invece abbiamo bisogno, di tanto in tanto, di sederci e dare una bella occhiata a ciò che sta accadendo dentro di noi.

Il subconscio, o "guida interiore" ci può aiutare a scoprire quale preoccupazione o infelicità ci spinge in primo luogo ad agire. Se – durante questa meditazione – hai domande da fare alla tua guida interiore, falle. Cerca di essere aperto e onesto, in modo da recepire ciò che la "più saggia" parte di te stesso può offrirti e suggerirti.

ESERCIZIO 2

Pregare in segreto

(Mt 6, 5-7)

Leggi dapprima il testo dal Vangelo di Matteo:

> Quando pregate, non fate come gli ipocriti, ai quali piace pregare in piedi, nelle sinagoghe o negli angoli delle piazze, per essere veduti dagli uomini. In verità vi dico che han già ricevuto la loro ricompensa. Ma tu, quando vuoi pregare, entra nella tua camera, chiudi la porta e prega il Padre tuo che è nel segreto e il Padre tuo, che vede nel segreto, te ne darà la ricompensa.

Recati in un luogo tranquillo in cui ti senti al sicuro. Vuoi restare in pace con Gesù per un po' di tempo. Mettiti seduto con la schiena dritta e con le mani appoggiate in grembo. Comincia a osservare il ritmo del respiro mentre inspiri gentilmente l'aria attraverso le narici fin giù dentro lo stomaco. Dopo qualche momento, fai uscire l'aria dal corpo, a partire dal profondo dello stomaco e visualizzala mentre va su lungo la spina dorsale, nella cavità toracica, salendo fin dentro la gola e uscendo fuori attraverso la bocca. Di solito questa respirazione regolare e ritmica apporta un senso di rilassamento che produce un effetto benefico. Talvolta puoi sentirti bombardato da migliaia di pensieri e distrazioni. Sii gentile con te stesso. Scopri come puoi creativamente rendere la tua pratica il più confortevole possibile e resta nel momento presente. Gran parte del nostro stress dipende dal fatto che pensiamo alle preoccupazioni passate e future, spesso si tratta di cose per le quali puoi fare ben poco. Quando riesci a focalizzare ciò che stai attualmente facendo, c'è poco spazio per pensare ad altro. Se ti scopri a preoccuparti per il passato, o a temere il futuro, riporta gentilmente la tua attenzione verso il presente. Pensa alle distrazioni come a oggetti e dì loro: «Ora sto avendo a che fare con una distrazione. La metterò in un cassetto immaginario nella mia mente e ritornerò ai miei affari del momento».

Comincio ora a pensare a come pregava Gesù e a come Egli consigliò agli altri di sviluppare la propria preghiera. Perfino uno sguardo superficiale alla vita di Gesù mostra come Egli facesse regolarmente una pausa per restare da solo, in modo da comunicare col Padre. È ciò che disse di fare anche ai discepoli. Invita anche me a fare lo stesso? Ogni volta che Gesù si chiudeva in profondo silenzio, per prima cosa ricordava a Se stesso che il Padre era molto vicino. Questo potrebbe essere anche il mio punto di partenza: «Padre, sono venuto qui oggi perché voglio che la Tua presenza mi colmi, anche se a volte non Ti sento vicino. So che mi conosci meglio di quanto io conosca me stesso. Sono venuto qui per restare qualche minuto con Te, per condividere quello che si è verificato nella mia vita. Talvolta mi sembra di star solo parlando alle tenebre ma nei momenti migliori sento chiaramente la Tua vicinanza. Ora chiedo che tu mi conceda di poterla veramente sentire, al fine di rafforzare la mia fede. So che Tu puoi creare l'ordine dal caos e rendere sensato ciò che sembra insensato. Lo hai fatto per Tuo Figlio e perciò mi faccio coraggio e Ti chiedo di farlo anche per me».

ESERCIZIO 3

Marta e Maria
(Lc 10,38-42)

La storia di Marta e Maria nel Vangelo può essere riletta molte volte. Ogni volta vi troverai qualcosa di diverso su cui riflettere:

> Mentre Gesù si trovava in cammino, entrò in un villaggio e una donna di nome Marta lo accolse in casa sua. Ella aveva una sorella, chiamata Maria, che si era seduta ai piedi del Signore e ascoltava la Sua parola. Marta, occupata nelle varie faccende domestiche, si fece avanti e disse: «Signore, non ti importa che mia sorella mi abbia lasciata sola a servire? Dille dunque che mi aiuti». Ma il Signore rispose: «Marta, Marta, tu ti inquieti e ti affanni per molte cose mentre una sola cosa è necessaria. Maria ha scelto la parte migliore, che non le sarà tolta».

Assumi una delle solite posizioni adatte alla meditazione nella quale ti senti veramente a tuo agio, e quindi rilassati.

Presta attenzione a come si sente il tuo corpo, iniziando da come ti senti in generale e notando qualsiasi sensazione tu possa star sperimentando. Porta adesso l'attenzione sulla parte superiore della testa e sul tuo volto.

Senti niente in questa zona? Prendi del tempo prima di passare a concentrarti sulle spalle. Osserva se vi riscontri una qualche rigidità, perché la tensione spesso si accumula là. Cerca di rilassarti e quando sei pronto porta l'attenzione alla zona toracica. Controlla se è rilassata. Passa ora a osservare il tronco, prima di osservare le gambe e poi i piedi, notando poi che essi sono il punto di contatto fra la sedia e il pavimento.

Dapprima cerca solo di renderti conto di come vi sentiate tu e le parti del tuo corpo. Prenditi tutto il tempo necessario e quando ti senti pronto, procedi.

Leggi la storia di Marta e Maria e cerca di immaginare la scena. Nota come Marta si senta a suo agio mentre sfaccenda nella sua casa. C'è tanto da fare e il tempo è poco. Ciò mi fa ricordare un po' me stesso. Osserva come Marta senta dei suoni all'esterno e come riconosca la voce di Gesù. Emozioni contrastanti l'assalgono. Gesù è un amico che conosce e che le piace molto e qualsiasi giorno sarebbe stata onorata e felice di ricevere la Sua visita. Come mai ha scelto proprio oggi, quando lei è terribilmente occupata? Appena Gesù entra in casa, ha subito la sensazione del suo imbarazzo. È possibile che capti le stesse vibrazioni quando viene a visitare me? «Va' via e torna in un momento più opportuno» potrebbe essere anche il mio messaggio.

Immagino me stesso come Marta. Proprio in quel momento mia sorella Maria entra in scena. Senza una parola di scusa, trova un posto vicino a Gesù e inizia a conversare. Sento un fiotto di invidia e di rabbia. Invidia per la sua semplice capacità di stare con Gesù e rabbia per come ha evitato con leggerezza di compiere la sua parte dei lavori di casa, lasciandoli tutti a me. Da qualche parte nel mio intimo sono consapevole dei sentimenti di risentimento e tristezza che mi spingono in due direzioni diverse. Il lavoro chiama, e io mi risento di dover fare più di quanto mi tocca. E anche tristezza, perché riconosco l'opportunità di essere con Gesù e parlare con Lui. Così, per un senso di ripicca, chiedo a Gesù di intervenire in mio favore per far sì che mia sorella si addossi la sua parte di responsabilità familiare. Resto piuttosto sorpresa dalla Sua risposta. Mia sorella ha scelto la parte migliore, mi viene detto. Non avevo necessità di isolarmi in cucina. Nessuno mi ha obbligato a farlo. Avrei potuto trovare il tempo per sedermi ai Suoi piedi, ma non l'ho fatto.

Decido di recitare una preghiera speciale. «Signore, aiutami ad andare più piano e a godermi la vita. Aiutami a non andare sempre di corsa e a non avere sempre una lista di impegni che mi impediscono di godere della Tua presenza. Insegnami a non essere vittima dei miei impulsi. Aiutami a "fare" di meno e a "essere" di più.» Quando mi sento pronto, concludo la meditazione.

ESERCIZIO 4

Nicodemo

(Gv 3, 1-7)

Vi era tra i farisei uno, chiamato Nicodemo, un capo dei Giudei. Egli andò da Gesù di notte e gli disse: «Rabbi, noi sappiamo che tu sei venuto da Dio, come Maestro, perché nessuno può compiere i prodigi che fai tu, se Dio non è con lui». Gesù gli rispose: «In verità, in verità vi dico che uno, se non nascerà di nuovo, non può vedere il regno di Dio». Nicodemo gli chiese: «Come può un uomo rinascere quando è vecchio?

> Può forse rientrare nel seno di sua madre, per essere rigenerato?» Gesù rispose: «In verità, in verità ti dico: chi non rinascerà per acqua e Spirito Santo non può entrare nel regno di Dio. Ciò che è generato dalla carne è carne; quello che nasce dallo Spirito, è Spirito. Non ti meravigliare perciò se ti dico: bisogna che voi siate generati di nuovo».

Pensa a Nicodemo. Ci è stato detto che quest'uomo era un capo del suo popolo e deve perciò aver sentito parlare spesso di Gesù, un nuovo "guru" che era arrivato nella zona. Mentre altri si sentivano disturbati e minacciati dalla notizia, Nicodemo ne era affascinato. Sapeva di voler incontrare questo straordinario individuo perché ne aveva bisogno. Invece di tener nascosto questo desiderio, Nicodemo si diede da fare per scoprire per conto suo chi era Gesù. Così tanta gente trovava speranza e pace in questo nuovo personaggio tanto che Nicodemo sentì di doverne per lo meno sapere qualcosa di più. Perché tutta quella eccitazione? Essendo un capo, era prudente e aspettò la notte prima di andare in cerca di Gesù, perché sarebbe stato inutile mettere a repentaglio la propria reputazione se Gesù si fosse rivelato un impostore.

Con la tua immaginazione segui ora Nicodemo mentre si avvia attraverso una zona della città che non gli è familiare, perché è qui che ha sentito dire che è più probabile trovare Gesù. Osservalo mentre procede con prudenza, lanciandosi di tanto in tanto un'occhiata alle spalle per assicurarsi di non essere seguito. Nota ora come si tira il mantello sulla testa per nascondere il più possibile la propria identità. Ascolta mentre borbotta fra sé, mettendo in dubbio la propria sanità mentale per essersi accinto nell'impresa che sta per portare a termine. Spesso egli deve nascondere i suoi pensieri e i suoi sentimenti perfino a se stesso. Nel profondo sa di non essere realmente felice. C'è una specie di irrequietezza dentro di lui. È alla ricerca di qualcosa, ma non sa che cosa sia questo "qualcosa".

Tieni gli occhi fissi su Nicodemo mentre chiede ai passanti se sanno dove si trovi Gesù. Finalmente uno risponde affermativamente. Nicodemo segue la direzione che gli è stata data. Resta con lui mentre scorge Gesù e si avvia verso di Lui. Osserva la sorpresa sul volto di Gesù quando vede chi è venuto a trovarLo. Sono rare le visite da parte di tali dignitari. Di solito i detentori del potere sono Suoi nemici. Ma questo sembra diverso. Osserva Gesù mentre ascolta Nicodemo. Nota come pondera le domande e come prepara mentalmente le risposte appropriate. Ti trovi a una certa distanza per cui puoi sentire appena la loro conversazione. Alla fine riesci a capire che Gesù sta ringraziando Nicodemo per aver corso un così grande rischio. Puoi anche sentire Gesù dire a Nicodemo che il suo mondo lo isola dall'esperienza, dalle sofferenze e dal dolore dei poveri. È difficile per Nicodemo sperimentare il dolore della gente comune, ma puoi vedere che sta lentamente cominciando a rendersi conto che il sentiero che gli sta davanti non è facile da percorrere. Se può accettare almeno parte della sfida che gli viene presentata, è tuttavia possibile che ne risulti una più ampia vita spirituale. «Nicodemo, fino a dove sei disposto ad arrivare per coloro che ti stanno intorno?» Osserva il suo panico nell'attimo in cui si rende conto delle implicazioni di questa domanda. Gli viene chiesto di abbandonare la sua comoda esistenza e fare un passo in una nuova direzione.

All'improvviso Gesù sposta lo sguardo da Nicodemo verso di te. Ascolta la domanda che ti pone Gesù: «E tu? Piacerebbe anche a te nascere di nuovo?». Cerco di riflettere per conto mio che cosa significhi per me una domanda del genere. È possibile che io debba spostare la mia attenzione e guardare coloro che mi sono vicini per vedere di che cosa hanno bisogno? Voglio nascere di nuovo? Soltanto io posso dare una risposta onesta a tale domanda.

10
LA CHIESA IRLANDESE IN CRESCITA

> È dovere del capitano della nave arrivare in porto, costi quel che costi.
>
> *Antoine de Saint-Exupery*

Crescere è sempre una cosa difficile. È difficile per quanto riguarda il campo della fede, ma anche in altri settori e in Irlanda, dove i venti del cambiamento hanno soffiato molto intensamente negli ultimi tempi, è quasi obbligatorio che i cristiani facciano un esame della loro fede, di ciò in cui credono, del modo in cui praticano. Se non lo fanno, quegli stessi venti di trasformazione li distruggeranno perché la voce religiosa, che fino a ora è stata forte e insistente, non è più in gioco come una volta, e forse non è più nemmeno in gioco. Per lo meno è ciò che sembra a me in questo momento ed è anche ciò che sembrava a Henri Nouwen quando la sua natia Olanda subì uno scossone altrettanto catastrofico alcuni anni fa circa le antiche credenze. Nei suoi scritti racconta di essere rimasto scioccato dalla velocità alla quale una società avesse potuto alterare i propri valori e come si fosse potuto chiedere alla gente di cambiare e di crescere. Gli sembrava che l'Olanda fosse passata dall'essere un Paese pio a uno decisamente secolare in un tempo eccezionalmente breve. Ciò ha squilibrato parecchie persone e molti hanno dovuto per prima cosa ritrovare il loro centro e poi adattarsi in modo adeguato alla nuova situazione.

Le osservazioni di Nouwen circa il modo in cui le pratiche di fede e le credenze erano state scosse dal profondo nella sua nativa Olanda alcuni anni fa sembrano risuonare in molti aspetti della situazione attuale in Irlanda. È innegabile che la nostra cultura e lo stile di vita siano cambiati, ma è più difficile quantificare l'effetto che tali cambiamenti hanno apportato al nostro spirito. I sociologi combattono con le ragioni di tale cambiamento e diverse teorie sono state elaborate in proposito. La gente è occupata, troppo occupata. Molti sembrano rematori impegnati in una gara e abbiamo l'impressione che, se non remano in avanti freneticamente – almeno nella loro mente – corrono il rischio non solo di rimanere fermi ma di venire addirittura spinti indietro.

Il frenetico remare in cui siamo impegnati significa che abbiamo poco tempo per riflettere su dove ci porterà la corrente o su quali conseguenze deriveranno da una vita sfrenata. Questa tendenza mi sembra particolarmente prevalente fra i giovani poiché nelle scuole, nelle università e negli altri istituti, sembra che gli studenti lavorino sempre più duramente solo per restare in pari col resto del gregge. Il loro stile di vita richiede che aggiungano allo studio anche un lavoro part-time di modo da riempire di una sempre crescente attività ogni momento libero.

Si deve ammettere che tutto ciò ha un lato positivo ma mi sembra che ne esista anche uno negativo di cui non si parla molto. Li rende più competitivi sul mercato ma più frenetici e stanchi nello spirito. Significa che, per loro, Dio manca, ma la Sua mancanza non è avvertita.

L'approccio al successo "sulla corsia veloce" non è l'unico fattore che sembra influenzare il cambiamento. Un altro elemento pare emergere oggi in Irlanda. Le vecchie autorità hanno avuto tempi difficili e non hanno più il potere di una volta. Le apprezzate istituzioni di ieri, che erano ammirate e riverite, non ricevono più alcuna venerazione. Sembra che abbiano i piedi di argilla e vengono spesso accusate di essere autoritarie e paternalistiche. Le istituzioni religiose – benché forse io sia un po' prevenuto in questo caso – hanno ricevuto più critiche di qualsiasi altra a questo proposito e la loro dipartita è stata rapida e sorprendente. «Alleluia», dicono alcuni, perché esse hanno contribuito alla loro stessa caduta con l'imbroglio e con l'intrigo. Un potere troppo grande tende a corrodere e a corrompere, per cui una parte di me si unisce nel dire «Alleluia». La parte che consiglia la prudenza, tuttavia, si sente a disagio. Ricordo che, presso la casa in cui abbiamo fatto il noviziato, c'era un lago. Sembra che anni fa delle erbacce crescessero sul fondo del lago, procurando dei fastidi. Una mente brillante ebbe l'idea di introdurre un tipo di pianta che avrebbe dovuto sradicare l'erbaccia originale. In realtà successe che la nuova pianta sostituì quella vecchia, impadronendosi dell'intero lago e causando un terribile disordine. In sostanza, quello che emerse da ciò che si supponeva fosse la soluzione risultò essere molto peggiore della difficoltà originale.

Forse avviene oggi in Irlanda la stessa cosa per quanto riguarda la fede. Si è creato un vuoto, che però non resterà tale a lungo. In questa breccia si sta già cominciando a insinuare una nuova scala di valori in cui i princìpi morali, per non parlare delle parole di saggezza tramandate da generazione in generazione, vengono presi pochissimo in considerazione. Una specie di "ubriachezza" morale sembra all'ordine del giorno, dove resta difficile trovare degli standard oggettivi e dove sembra che una filosofia spiccia stia esercitando la propria influenza liberamente, senza un effettivo controbilanciamento.

Oggi la libertà individuale è altamente valutata e questo ha effettivamente un lato attraente. Ciò che non è molto evidente è l'altro lato. Niente sembra essere chiaramente giusto o sbagliato e la vaghezza e la confusione che ciò genera sottrae energia, e lascia molti in un dilemma. Come possiamo essere fermi e parlare di Dio fra le mura di una Chiesa screditata? Come possiamo combattere il senso di perplessità e di desolazione che sembra essere filtrato entro così tanti giovani cuori? Papa Paolo VI lo disse bene: «La spaccatura fra il Vangelo e la cultura è indubbiamente la tragedia del nostro tempo». La nostra cultura è stata sotto pressione e il nostro stile di vita è mutato a grandissima velocità. I cristiani intelligenti e dediti hanno il diritto e il dovere di chiedere a se stessi e a chiunque voglia ascoltarli, se la crescita si è rivelata tale oppure è stato solo un ammalarsi.

Il poeta irlandese Brendan Kennelly, fa delle osservazioni azzeccate a questo proposito, come ha fatto pure il famoso psicologo svizzero Carl Jung. Ambedue hanno notato nella nostra cultura che tutto si muove troppo in fretta. Jung ha detto: «La fretta non è cosa diabolica ma è il diavolo», mentre Kennelly ha osservato che nella moderna Irlanda pare che nessuno abbia il tempo di vedere realmente ciò che gli sta accadendo intorno. Molti non hanno neppure il tempo di guardare se stessi. Fretta, stress e pressione sembrano essere diventati per loro i nuovi dèi e ciò mette a disagio la vena poetica che ispira Kennelly, e che lo costringe a distaccarsi e a osservare il nostro tempo e il nostro ambiente. Egli sente che, particolarmente nei momenti di attività frenetica, la necessità di pagare una maggiore e più urgente attenzione a ciò che accade "all'interno" diventa sempre più grande. Nel cercare sollievo al nostro essere affaccendati, finiamo per sentirci ancora più esausti a causa di un'attività superstimolata. Forse evitiamo la quiete perché ci fa paura. Forse temiamo che, se restiamo tranquilli e vulnerabili, ci possiamo rendere conto della terribile realtà che la vita, dopo tutto, non ha significato. La nostra stessa povertà di spirito fa sì che ci affrettiamo verso la morte spirituale.

Da giovani, Pascal e Pitagora si trovarono a combattere con simili realtà e suggerirono che è importantissimo creare uno spazio interiore per se stessi, perché ci aiuta a distinguere fra le cose urgenti e quelle importanti. Se lasciamo che solo ciò che è urgente domini la nostra giornata, non arriveremo mai a ciò che è veramente importante e il risultato sarà un crescente senso di insoddisfazione. Alcuni fra i migliori direttori spirituali hanno sottolineato che di solito siamo circondati da cose urgenti che hanno l'abitudine di distrarci dall'affrontare ciò che è realmente importante, a meno che non stiamo davvero attenti. Qui si tratta di creare una fede adulta, ma ne deriverà parecchia frustrazione se non ci prendiamo dei periodi di silenzio e di riflessione per guardare a lungo e fermamente, filtrando strada facendo ciò che può essere prezioso. La malattia moderna che rischiamo di prendere è una specie di stile di vita che si basa sul "qualunque cosa tu abbia" post-moderno.

Per descriverlo, alcuni hanno coniato il termine "New Age" che risulta particolarmente attraente per coloro che odiano le strutture e i dogmi delle religioni organizzate. Sta oggi diventando sempre più usuale in Irlanda sentire persone che si definiscono "spirituali" piuttosto che credenti in una religione. Da ciò che ho potuto capire, la parte migliore di questo nuovo pensiero cerca di imparare e di arricchire se stesso con l'apertura verso ciò che altre culture possono offrire.

La parte peggiore della "New Age", tuttavia, si muove in un'altra direzione. Sembra che mescoli pezzetti insignificanti presi da tutte le religioni, o da nessuna, e pare particolarmente interessata alle religioni e ai culti orientali. Si dipinge come "spirituale" ma è una spiritualità senza una Chiesa, senza peccato e senza giudizio. Esercita un'attrazione sui più giovani perché sembra che li liberi dalle strutture formali e dalle istituzioni religiose. Tuttavia i cristiani più anziani hanno i loro dubbi. Vedono la loro controparte più giovane correre in giro afferrando ogni nuova moda che nasce e gli anziani sono confusi, e si chiedono come la gente possa gettare via ricchezze che sono state già provate e sperimentate. L'esperienza ha insegnato ai più vecchi che l'anima ha bisogno di cibo sano e la loro esperienza di vita li ha indirizzati verso i luoghi dove è possibile trovare questo cibo nutriente.

Per controllare, mentre invecchiamo, se la nostra pratica di preghiera ci fornisce ancora il cibo nutriente, sarebbe utile tenere un diario al fine di mantenere il contatto fra il nostro viaggio esteriore e quello interiore. Quando parlo di diario, penso a un quaderno o "diario delle emozioni" in cui alcune persone annotano gli schemi che scoprono dentro se stessi, unitamente a qualsiasi sentimento, consolazione, desolazione, alti e bassi che ogni tanto appaiono nella loro sfera. Se i nuovi dati li risvegliano in modo spiacevole, significa che possono essere utili, ed è forse necessario che facciano qualcosa in proposito. Come minimo li spingeranno ad avvicinarsi alla propria vulnerabilità e aguzzeranno la capacità di riconoscere ciò che avviene nel loro intimo. La gente sa che dovrà regolarmente fare nuove esperienze nella propria vita e, se è saggia, non vorrà lasciarsi sfuggire il significato di tali avvenimenti.

Fai una pausa e lascia che la tua memoria ritorni a fatti che ti hanno colto di sorpresa in questi ultimi mesi. Può essersi trattato di incontri con amici, conversazioni con nemici, perfino cose che sono capitate ad altri e di cui sei stato testimone. La prima cosa, per quanto riguarda l'annotazione di questi fatti, consiste nel fissare nella mente l'avvenimento e diventarne consapevole. Perciò chiedi dapprima a te stesso: «Che cosa è successo?». Adesso registra sul diario se hai riflettuto o meno sull'episodio. Lo hai lasciato passare senza notarlo o hai pregato per ciò che può averti voluto dire?

Una buona ragione per tenere un diario è che, se Dio ci parla, preferirebbe non dover usare un altoparlante. In tutto l'Antico Testamento viene suggerita l'idea che Dio, da parte Sua, cerca attivamente di comunicare e che ogni cooperazione che possiamo offrire verrà profondamente apprezzata. Il diario e le sue annotazioni danno sostanza a domande quali: Che cosa mi è accaduto di recente? Perché è accaduto? Qual è stata la mia reazione? Che lezioni c'erano per me? Riflettendo su ciò che è successo, su perché è successo e su quali sentimenti ha sollecitato in me, può alterare il modo in cui intendo reagire in futuro a situazioni simili. Se siamo fortunati, il significato dell'accaduto può risultarci chiaro fin dal momento in cui si verifica.

Altre volte, e forse è il caso più comune, l'interpretazione e l'analisi migliori saranno chiare solo in retrospettiva. Potremo cioè aver bisogno di usare uno specchio per vedere ciò che succede e che cosa significa. Altre persone – attraverso le loro idee e i loro commenti – possono essere tale specchio, perché la loro saggezza ci mostra sfaccettature di noi stessi che non abbiamo fino a ora compreso. Le note che scriviamo nel diario – unitamente al dialogo che teniamo con Dio, con gli altri e con noi stessi – aiutano a scoprire il mistero che talvolta siamo per noi stessi. Attraverso l'uso regolare del diario acquistiamo una conoscenza migliore dei nostri sentimenti, emozioni, reazioni e riflessioni che osserviamo in noi stessi circa l'episodio in esame.

È meglio prendere gli appunti in un tempo abbastanza vicino al momento in cui l'evento si è verificato, poiché il ritardo distorce la memoria e crea degli strati di dubbie interpretazioni sull'accaduto. Potresti restare sorpreso circa ciò che scopri e la tua scoperta darà probabilmente forma al modo in cui affronterai eventi futuri. Anche se credi di sapere che cosa ti riserva l'immediato futuro, è probabile che non ci andrai troppo vicino.

Anthony De Mello era solito raccontare una storia su un rabbi che pianificava il futuro con molta attenzione e che conduceva la sua vita come un orologio. Era così preciso nel comportamento che i suoi amici dicevano che avrebbe potuto scrivere la storia della sua vita perfino prima che gli eventi si verificassero. Il rabbi insisteva che non era vero. E dimostrò quanto imprevedibili possono essere le cose quello stesso giorno poiché, mentre si recava alla sinagoga, fu avvicinato dalla polizia locale che gli chiese dove stava andando. «Non lo so», rispose l'onesto rabbi, benché raramente cambiasse il percorso che lo portava ogni giorno alla sua pratica di preghiera. Fu immediatamente gettato in prigione per essere stato evasivo. Quando in seguito gli fu rivolta in tribunale tale accusa, secondo la quale, poiché non cambiava mai strada, avrebbe dovuto sapere dove stava andando, il rabbi rispose: «Bene, guardate dove mi trovo ora. Come potete vedere, io non sapevo dove stavo andando né, in realtà, sapevo dove sarei andato a finire».

Così i saggi procedono verso il futuro, armati per quanto possono della propria fede, cercando di migliorare, anche se non sanno quando arriverà la fine, e il loro credo è regolarmente messo alla prova. Non è sempre facile mantenere la fede in ciò che ricevono e rimanere fedeli al loro retaggio. Un padre lo scoprì da solo circa un paio d'anni fa in Armenia, dove un terremoto colpì il suo villaggio e la catastrofe uccise 30.000 persone. Fra queste sembrava ci fosse suo figlio. Il ragazzo era uscito di casa quella mattina diretto a scuola e l'edificio, a quanto si diceva, era crollato. Il padre, disperato, corse sul luogo il più in fretta possibile e nell'arrivare trovò che le cose erano più o meno andate come aveva sentito. Ricordando che la classe del figlio si trovava nella parte posteriore della scuola, cominciò immediatamente a scavare là.

Continuò nella ricerca ora dopo ora, benché gli altri lì attorno gli dicessero che nessuno avrebbe potuto sopravvivere così a lungo. Dopo trentotto ore il padre sentì infine un debole lamento. Era suo figlio. Un minuscolo spazio si era incredibilmente formato fra le macerie, permettendo al bambino e ad alcuni amici di sopravvivere. In seguito, quando il ragazzo raccontava la storia, ricordava come suo padre avesse detto spesso che la fede – inclusa la sua – viene messa alla prova. Era successo quel giorno. I ragazzi sepolti vivi intorno a lui dubitavano che qualcuno di loro sarebbe mai stato localizzato ma egli, nonostante questi dubbi, aveva insistito che non dovevano temere. Laggiù al buio continuava a dire a chi lo voleva ascoltare che era assolutamente certo che suo padre sarebbe venuto. Tale certezza, espressa con più convinzione di quanto non sarebbe stato logico, lo fece resistere. E diede coraggio anche agli altri.

Una tale fede – o la mancanza di essa – è un dono. Non è un qualcosa che otteniamo per diritto ma è qualcosa che possiamo pregare di ottenere, o verso la quale possiamo sperare di essere guidati da altri. Alcune persone hanno la particolare capacità di donarla a chi viene in contatto con loro. Il generale Dwight D. Eisenhower, che fu comandante delle forze alleate durante la seconda guerra mondiale, sembra avesse questo effetto sulle sue truppe e sul personale. A chi lo ascoltava, consigliava di colmare gli altri di fiducia e illustrava questo concetto prendendo un pezzo di cordicella che appoggiava poi su un tavolo. Diceva agli ascoltatori che, se tiri o muovi la cordicella delicatamente ma con fermezza, questa ti seguirà in qualsiasi direzione tu voglia andare. Se, d'altra parte, cerchi di spingerla o muoverla con forza, essa si aggroviglierà andando in ogni direzione. Accade lo stesso con le persone. Spingile o tirale con gentilezza, incoraggiandole verso la crescita, ed esse andranno in tale direzione. Ma se cerchi di urtarle o di spingerle con la forza, esse si impunteranno e opporranno resistenza. La crescita che cerchiamo nella nostra fede è verso la vita e la vitalità. Ma, come ben sappiamo, la crescita può essere sia positiva sia negativa. La crescita che cerchiamo di evitare è quella che si insinua in noi, alla maniera di un cancro, come una malattia.

All'interno della Chiesa irlandese, la crescita – sia di natura positiva sia negativa – è all'ordine del giorno già da un po' di tempo. Ci è stata imposta, che ci piaccia o no. Molti all'interno della Chiesa si sentono minacciati come l'insetto studiato da un botanico. Questo concetto può essere spiegato col racconto di ciò che capitò a un uomo. Questi andò un giorno a fare una passeggiata e, mentre camminava, vide un insetto nascosto in un bozzolo appeso al ramo di un albero. Il passante portò a casa il ramo, non volendo disturbare la piccola creatura all'interno. Passarono i giorni e l'uomo vide che non c'era quasi alcun movimento all'interno del bozzolo. Ciò lo deluse e, pensando di aiutare la natura, tagliò il bozzolo da un lato, rendendo più facile all'insetto l'uscita. E infatti questi uscì in metà del tempo dovuto. Sfortunatamente, essendo uscito prima del suo tempo naturale, risultò deforme. I botanici spiegano, quando raccontano la storia, che la natura ha il suo corso e le sue sfide. L'insetto ha bisogno di lottare per liberarsi dal bozzolo, se vuol crescere forte e sano. Proprio il fatto di uscire con fatica gli rinforza le ali. Tagliando il bozzolo l'uomo aveva aiutato l'insetto nel suo compito, ma aveva anche causato la sua mancata preparazione ad affrontare il proprio destino.

Anche noi dobbiamo prepararci al nostro, proprio come moltissimi anni fa fecero i Padri del deserto, quando procedettero attraverso molti pericoli. Non tutti sopravvissero e alcuni abbandonarono la lotta. Quando gli fu chiesto perché non tutti rimasero fedeli alla loro chiamata, un vecchio abate spiegò che la vita monastica è una vita di ricerca, la ricerca di Dio. È come se un cane inseguisse una lepre, correndole dietro, uggiolando e abbaiando. L'eccitazione è contagiosa e fa sì che altri si uniscano alla caccia. Dopo un po' coloro che non riescono a scorgere la lepre cominciano ad annoiarsi. Uno dopo l'altro rinunciano. Il monaco concluse dicendo che solo chi mantiene gli occhi fissi sul Signore crocifisso persevera fino alla fine.

ESERCIZIO 1

Giuseppe e Maria come maestri

(Lc 2, 39-40)

Leggi dapprima questo passaggio dal Vangelo di Luca:

> Quando ebbero tutto compiuto secondo la Legge del Signore, ritornarono in Galilea, nella loro città di Nazaret. Intanto il fanciullo cresceva e diveniva forte, pieno di saggezza, e la grazia di Dio era con lui.

Inizia col fare alcuni profondi respiri rinvigorenti. Ricorda che il respiro può essere anche usato come una forma di preghiera. Ci è stato detto che prima di tutto Dio diede e incoraggiò la vita soffiando il Suo alito nella prima cosa da Lui creata. Nello stesso modo può esserti utile ricordare che ogni boccata d'aria che immetti nel corpo è qualcosa di cui essere grato, essendo un dono di Dio. Appena ti senti a posto, comincia.

Vai con la fantasia nel luogo in cui Gesù crebbe. Devi raffigurartelo con gli occhi della mente ma per molti si tratterà probabilmente di un posto semplice, e anche tranquillo. Raffigurati ora Gesù come un ragazzo di circa dodici anni e immagina che ti dica che cosa significava per Lui essere un bambino. Inizierà forse parlando dei Suoi genitori, cioè dei genitori terreni. Può darsi che cominci a raccontarti delle storie riguardo a Sua madre. Su quali aspetti del suo carattere e della sua bontà si concentra il racconto? Subito dopo Gesù passerà forse a parlare di Giuseppe, che era un uomo tranquillo, onesto e determinato, pronto a trasmettere le proprie capacità di guadagnarsi la vita. LasciaGli raccontare le Sue più belle memorie e poi rispondi, se ti chiede di raccontare i tuoi ricordi d'infanzia. Comincia come ha fatto Lui, menzionando persone o momenti speciali che non puoi dimenticare. Potresti portare anche Lui, con la fantasia, nella casa in cui sei cresciuto e narrare eventi o parlare di persone che ricordi in modo particolare.

Ti chiederà forse dei tuoi genitori, perciò presentaGli tua madre o tuo padre o ambedue. Può darsi che dapprima affiorino alla superficie degli eventi piacevoli, ma è possibile che facciano la loro apparizione anche alcuni momenti difficili. Se ride e parla della volta in cui Si perse, facendo quindi dispiacere ai Suoi genitori, questo può fornirti la buona occasione. Proprio come Lui ha fatto preoccupare i Suoi genitori, anche tu puoi ricordare un tempo in cui qualcosa di spiacevole è accaduta fra te e tua madre o tuo padre. Ripensa a qualsiasi incidente che abbia causato tensione e conflitto. Forse hai detto cose che non intendevi dire, oppure hai agito in un modo che ora ti fa sentire vergogna e rimorso. Questo può dare lo spunto a Gesù per raccontarti della volta in cui la Sua famiglia si recò a Gerusalemme. Ti spiega un po' tristemente come venne lasciato indietro nel tempio. Non fu, Egli stesso lo ammette, uno dei Suoi momenti migliori. Ti descriverà le lacrime e le recriminazioni che ci furono quando i genitori finalmente Lo ritrovarono. Racconta anche di come cercò di spiegare cosa era successo ma sentì che – per una volta – non veniva ascoltato. E tutto questo perché credeva di star facendo la volontà del Padre.

Ho ricevuto una risposta poco tempo fa. Mi era stato chiesto di condurre una serata di preghiera per l'Avvento in una delle parrocchie più difficili di Dublino e, mentre mi avviavo verso la chiesa, piccola ma ben protetta, confesso che la mia preoccupazione maggiore non era ciò che mi aspettava. Invece di pensare a come si sarebbe svolta la serata, invece di chiedermi se i parrocchiani avrebbero trovato qualcosa di spiritualmente utile nel corso dell'incontro, mi trovai a crucciarmi a proposito del posto per parcheggiare la mia motocicletta. La mia preoccupazione principale era che il mio mezzo di trasporto potesse venire rubato.

Bene, devo dire che le persone furono magnifiche e piene di calore, e alla fine una di loro venne da me dicendomi che quello era stato il giorno peggiore che avesse mai vissuto. Tutto nella sua vita era piombato il più in basso possibile. Come lei stessa disse: «Le cose andavano così male che, se fosse arrivato un treno e mi avesse investito, avrei pensato che mi stava facendo un favore». Non aveva idea di che cosa l'avesse condotta in chiesa quella sera. Sembrava che qualcosa glielo avesse semplicemente suggerito. «È stato splendido» disse. «Quando abbiamo iniziato la meditazione ho potuto sentire il mio umore migliorare e la tristezza sollevarsi delle mie spalle.» Poi mi colpì con un argomento decisivo. «Penso che Dio ti abbia mandato con un compito speciale.» Devo ora confessare che l'ultima cosa che sentivo era che Dio avesse fatto una cosa simile. Cento e una cosa mi erano passate per la mente, ma l'idea di essere l'ambasciatore speciale di Dio non era assolutamente fra quelle.

Ma chi disse a san Paolo che era l'emissario di Dio? Sapevano alcuni santi meglio di noi che erano i rappresentanti di Dio, inviati per essere Sua presenza per coloro che erano là? Credo di no. Quando ci viene detto che Dio ci parla, non è più che probabile che Egli usi te e me per far sì che le Sue parole e opere diventino realtà? Quella sera, mentre tornavo a casa in moto, quel pensiero mi levò il respiro.

Inizia la meditazione nel solito modo. Ora preparati.

Immagina di essere con Gesù. Egli ti farà vedere che tu sei la sua gioia e delizia. Chiudi gli occhi e rilassati. Mentre respiri cerca di diventare consapevole della vita che stai inspirando dentro di te. Prendi adesso tempo per restare insieme a Gesù nel tuo posto preferito, dove ti senti al sicuro. OsservaLo mentre prende dalla tasca un libro di preghiere molto usato, preghiere di cui si è evidentemente servito molte volte in precedenza. Ne sceglie una, il Salmo 104, e comincia a leggerne una parte.

> Loda il Signore, anima mia,
> o Signore mio Dio, come sei grande.
> Gloria e bellezza sono le Tue vesti.
> La luce è un mantello che Ti avvolgi intorno.
> Spandi intorno i cieli come una tenda
> e costruisci la Tua casa sulle acque sopra di loro.

Comincia ora a riflettere su queste parole. Pensa alla bellezza della natura che ti circonda ogni giorno. Può darsi che ti vengano in mente immagini di montagne o di litorali marini. La bellezza dei cieli o delle profondità oceaniche ti ricordano – se glielo permetti – la vicinanza di Dio.

Ascolta ora Gesù mentre ti ricorda che Egli ha realmente creato il mondo intorno a noi per la nostra gioia ma che la bellezza che ci circonda non è sufficiente, almeno per Lui. Senza di te qualcosa verrebbe a mancare. Cerca di intuire la verità di ciò. La tua presenza rende l'intero quadro in qualche modo completo.

ESERCIZIO 3

Una fantasia sulla nostra fine

Anthony De Mello ha talvolta chiesto alla gente di pensare alla loro fine e ha preparato addirittura una riflessione che userò in questa sede. Molti di noi sono in qualche modo riluttanti a pensare alla conclusione della propria vita ma un esercizio come quello che segue può aiutarci a essere più attenti e a focalizzare meglio. Può anche mettere in una diversa prospettiva le nostre azioni presenti.

Per prima cosa cerca di sentirti calmo. Porta l'attenzione sulla parte finale della tua vita. Prima che l'evento si verifichi, tuttavia, ti chiedo di prendere un quaderno e una penna. Il compito che stai per intraprendere sarà un dono per i tuoi amici e per la tua famiglia. Cercherai di scrivere un breve racconto della tua vita. La prima domanda da affrontare è come porterai avanti tale compito.

Prendi tempo e comincia a preparare una specie di cornice che darà forma e coesione al tuo scritto. Che titolo darai ai capitoli? Puoi cominciare col pensare a oggetti della natura che ti hanno dato piacere. Con la fantasia guardati intorno e vedi i vari tipi di tempo, la vita delle piante e degli uccelli, animali, e la bellezza della natura. Guardali. Annusali. Ascoltali. Ringrazia quelli che ti hanno procurato maggior piacere.

Ripensa ora a esperienze che ti sono piaciute. Le vuoi descrivere nel quaderno ai tuoi amici ma può volerci del tempo per elencarle tutte nella mente e scegliere le più preziose. A questo punto ti sentirai forse come uno scoiattolo che corre in giro a raccogliere noci. Riponi i ricordi con gratitudine, sapendo che sarai in grado di riportarli alla luce qualora ne sentissi il bisogno.

Dopo di ciò, comincia a dar forma a un capitolo che descrive le idee che ti hanno fatto sentire libero. Fai una lista mentale di queste idee e cerca di ricordare da dove e da chi ti siano venute. Ti si sono presentate facilmente e, cosa ancora più importante, quanto riluttante sei stato ad accettarle? Mentre fai questo, ritorna con la mente a idee e credenze che hai abbandonato. Perché queste credenze non ti sembrano più così importanti? La loro scomparsa ti ha portato liberazione o anarchia, o forse un po' di entrambe?

Passa poi alle convinzioni a cui hai ispirato la tua vita. Se hai un motto che ha guidato la tua esistenza, potresti usare questo mantra come titolo del prossimo capitolo. Per che cosa hai precisamente vissuto? Che cosa ti ha spinto avanti?

Nel capitolo successivo che prepari con la fantasia cercherai di ricordare dei momenti rischiosi nella tua vita. Quali sono stati e quanto pericolosi sono stati per te? Il pericolo ti ha dato energia o te l'ha tolta?

Vuoi che i tuoi amici lo sappiano, perciò annota nella mente una risposta la più esauriente possibile.

Prosegui con un capitolo sulle sofferenze che hai subìto. Alcune avranno particolare spicco in questo capitolo. E tu? Può darsi che tu sia del tutto riluttante a dar spazio ai ricordi dolorosi ma, se i tuoi amici devono ricevere un resoconto onesto della tua vita, allora il tuo quaderno deve includere anche le cose spiacevoli. Cerca perciò di descrivere gli effetti di tali sofferenze e dire se ti hanno reso più profondo, se ti hanno maturato o devastato.

Lascia quindi che la tua mente ritorni alle lezioni che la vita ti ha insegnato. Quali sono state? Hai fatto uso della saggezza che ti hanno donato?

Quando sei pronto, spostati verso le influenze che hanno modellato la tua vita. Ti verranno in mente alcune persone, libri, eventi ed esperienze. Prega in ringraziamento per tutte queste cose, prima di passare all'area della fede nella tua vita. In che cosa hai creduto? Questa fede – specialmente ciò che hai imparato durante l'infanzia – ti ha maturato e addolcito?

Ripensa ai testi delle scritture che hanno avuto per te un particolare significato. Quali ti vengono in mente in modo particolare e perché hanno avuto su te un tale impatto?

Stai ora per arrivare alla fine del tuo libro e puoi sentirti abbastanza coraggioso da guardare ai rimpianti che hai avuto nella vita. Che cosa rimpiangi circa il modo in cui hai vissuto la tua vita? Tali rimpianti riguardano le azioni che hai intrapreso o quelle che hai omesso? Si tratta di desideri tuttora insoddisfatti che pensi sia ancora possibile soddisfare?

Termina su una nota positiva. Ricorda i tuoi successi con orgoglio e rendi grazie per ciò che hai ottenuto nella tua vita. Fallo, pensando a ciò che gli altri ricorderanno di te. Finisci semplicemente restando seduto per alcuni minuti, entrando in te stesso e sperimentando i sentimenti venuti alla luce durante la meditazione. Ti sei staccato per un po' dalle pressioni e dalle distrazioni della vita ordinaria e hai fatto l'inventario di alcuni importanti momenti della tua vita. Cerca di assorbire tutta la saggezza che ti viene offerta e crea un tranquillo periodo di transizione prima di tornare alle tue solite attività. Concludi la sessione con la preghiera Gloria al Padre.

Notificazione

Il padre gesuita indiano Anthony De Mello (1931-1987) è molto noto a motivo delle sue numerose pubblicazioni che, tradotte in diverse lingue, hanno raggiunto una notevole diffusione in molti Paesi, anche se non sempre si tratta di testi da lui autorizzati. Le sue opere, che hanno quasi sempre la forma di brevi storie, contengono alcuni elementi validi della sapienza orientale che possono aiutare a raggiungere il dominio di sé, rompere quei legami e affetti che ci impediscono di essere liberi, affrontare serenamente i diversi eventi favorevoli e avversi della vita. Nei suoi primi scritti in particolare, padre De Mello, pur rivelando evidenti influssi delle correnti spirituali buddiste e taoiste, si è mantenuto ancora all'interno delle linee della spiritualità cristiana. In questi libri egli tratta dei diversi tipi di preghiera: di petizione, di intercessione e di lode, nonché della contemplazione dei misteri della vita di Cristo, eccetera.

Ma già in certi passi di queste prime opere, e sempre di più nelle sue pubblicazioni successive, si avverte un progressivo allontanamento dai contenuti essenziali della fede cristiana. Alla rivelazione, avvenuta in Cristo, egli sostituisce una intuizione di Dio senza forma né immagini, fino a parlare di Dio come un puro vuoto. Per vedere Dio non c'è che da guardare direttamente il mondo. Nulla si può dire su Dio, l'unica conoscenza è la non conoscenza. Porre la questione della sua esistenza, è già un nonsenso. Questo apofatismo radicale porta anche a negare che nella Bibbia ci siano delle affermazioni valide su Dio. Le parole della Scrittura sono delle indicazioni che dovrebbero servire solo per approdare al silenzio. In altri passi il giudizio sui libri sacri delle religioni in gene-

rale, senza escludere la stessa Bibbia, è anche più severo: esse impediscono che le persone seguano il proprio buonsenso e le fanno diventare ottuse e crudeli. Le religioni, inclusa quella cristiana, sono uno dei principali ostacoli alla scoperta della verità. Questa verità, d'altronde, non viene mai definita nei suoi contenuti precisi. Pensare che il Dio della propria religione sia l'unico, è semplicemente, fanatismo. «Dio» viene considerato come una realtà cosmica, vaga e onnipresente. Il suo carattere personale viene ignorato e in pratica negato.
De Mello mostra apprezzamento per Gesù, del quale si dichiara «discepolo». Ma lo considera come un maestro accanto agli altri. L'unica differenza con gli altri uomini è che Gesù era «sveglio» e pienamente libero, mentre gli altri no. Non viene riconosciuto come il Figlio di Dio, ma semplicemente come colui che ci insegna che tutti gli uomini sono figli di Dio. Anche in affermazioni sul destino definitivo dell'uomo destano perplessità. In qualche momento si parla di uno «scioglimento» nel Dio impersonale, come il sale nell'acqua. In diverse occasioni si dichiara irrilevante anche la questione del destino dopo la morte. Deve interessare soltanto la vita presente. Quanto a questa, dal momento che il male è solo ignoranza, non ci sono regole oggettive di moralità. Bene e male sono soltanto valutazioni mentali imposte alla realtà.
Coerentemente con quanto esposto finora, si può comprendere come secondo la logica dell'autore qualsiasi credo o professione di fede sia in Dio che in Cristo non può che impedire l'accesso personale alla verità. La Chiesa facendo della parola di Dio nelle Sacre Scritture un idolo, ha finito per scacciare Dio dal tempio. Di conseguenza essa ha perduto l'autorità di insegnare nel nome di Cristo.
Al fine di tutelare il bene dei fedeli, questa Congregazione ritiene necessario dichiarare che le posizioni suesposte sono incompatibili con la fede cattolica e possono causare gravi danni.
Il Sommo Pontefice Giovanni Paolo II, nel corso dell'Udienza accordata al sottoscritto Prefetto, ha approvato la presente Notificazione, decisa nella sessione ordinaria di questa Congregazione, e ne ha ordinato la pubblicazione.

Roma, dalla sede della Congregazione per la dottrina della fede,
24 giugno 1998,
Solennità della Natività di San Giovanni Battista.

† Joseph Card. Ratzinger, *Prefetto*
† Tarcisio Bertone, *Segretario*

INDICE

Stampa: Mondadori Printing S.p.A. - Stabilimento NSM - Cles (Trento)